El vergonzoso en palacio

Letras Hispánicas

Tirso de Molina

El vergonzoso
en palacio

Edición de Everett W. Hesse

NOVENA EDICIÓN

CATEDRA

LETRAS HISPANICAS

Ilustración de cubierta: José Lucas

© Ediciones Cátedra (Grupo Anaya, S. A.), 2001
Juan Ignacio Luca de Tena, 15. 28027 Madrid
Depósito legal: M. 19.980-2001
ISBN: 84-376-0073-1
Printed in Spain
Impreso en Fernández Ciudad, S. L
Catalina Suárez, 19. 28007 Madrid

Índice

INTRODUCCIÓN   11

    Apunte biográfico de Tirso de Molina   13
    Análisis e interpretación de *El vergonzoso en palacio.*   16
    Versificación   30
    Nuestra edición   32

BIBLIOGRAFÍA ESCOGIDA   33

EL VERGONZOSO EN PALACIO   39

    Acto primero   40
    Acto segundo   76
    Acto tercero   112

Introducción

Apunte biográfico de Tirso de Molina

No se sabe con certeza la fecha exacta del nacimiento de Gabriel Téllez, cuyo seudónimo fue Tirso de Molina. Hace tiempo que se cree que nació en Madrid en 1580 o en los primeros días de 1581. Al recibir su pasaporte de embarque a las Indias en 1616, Tirso declaró que tenía treinta y tres años, fecha que situaría su nacimiento en 1583. Pero en otros documentos de 1638, Tirso declaró que tenía cincuenta y siete años de edad.

Además de estas incertidumbres acerca de su nacimiento, hay aún más confusión sobre su origen. Doña Blanca de los Ríos ha descubierto una partida de bautismo fechada el 9 de marzo de 1584. El niño fue el de Gracia Juliana y un padre desconocido. En el margen doña Blanca halló unas palabras ya tachadas, pero que interpretó así: «Tz. Girón, hijo del duque Osuna.» Ella prefería suponer que Tirso fue el hijo ilegítimo del segundo duque de Osuna, Juan Téllez Girón, conde de Ureña. A continuación reproducimos la partida, cuya fotocopia logró obtener doña Blanca.

Gabriel

/ / / / / /
/ / / / / /
/ / / / / /

A los nueve del mes de Março de mil y quinientos y ochenta y quatro en la Yglesia de S.ᵒʳ San Gines desta villa de Madrid se Baptizo Gabriel ...... hijo de Gracia Juliana y de p.ᵉ incognito del qual fueron padrinos Gaspar Ydalgo, y Lucia enriquez. Siendo proprio cura el Señor Doctor Lima y su

no balga esto
borrado

tiniente el maestro Hieronimo campos, y sacristanes, Mathias Cruzado y Laçaro de Aranda, y testigos que estuvieron a todo presentes, diego martinez, Jūa duarte, pedro duarte [1].

Hiero.º capos.
(Hay una rúbrica.)

Hiero.º Campos.
(Hay una rúbrica.)

Se cree que Tirso asistió a la Universidad de Alcalá de Henares, donde «en pocos años se hizo dueño de muchas ciencias», como escribió en el Prólogo del *Deleitar aprovechando* (1635). Siguió estudios teológicos y, después de pasar su noviciado en Guadalajara, profesó en la Orden de la Merced el 21 de enero de 1601.

Se quedó en Guadalajara hasta 1604, en que pasó a Toledo, donde vivió hasta 1616. Allí continuó estudiando artes y teología y fue ordenado sacerdote en 1606. Ya libre de sus estudios, comenzó su actividad como dramaturgo e inició su carrera teatral con *Amar por señas* y *El vergonzoso en palacio,* quizá escritas en 1606 o pocos años después.

En 1616 Tirso se trasladó a la isla de la Española (Santo Domingo), encargado de asuntos religiosos. Salió de Sevilla con otros frailes de la Merced en el barco «Nuestra Señora del Rosario», los cuales acompañaban al Vicario-General de la Provincia. Durante su viaje al Nuevo Mundo visitó Puerto Rico, dictó cursos de teología y mejoró los monasterios.

Entre los años 1618 y 1626 llega Tirso a la cumbre de su actividad literaria. De las 400 comedias que se suponía que compuso, quedan alrededor de 85. Además, ha dejado cerca de 21 autos sacramentales, unos cuantos entremeses, 12 novelas y varios poemas. Fue miembro de la Academia Poética de Madrid, que se reunía en casa

---

[1] Para más información sobre la biografía de Tirso, consúltense la edición de las *Obras dramáticas completas,* de doña Blanca de los Ríos, 3 volúmenes, Madrid, Aguilar, 1946, 1952, 1958; Guillermo Guastavino Gallent, «Notas tirsianas, II», *RABM,* 69 (1961), 817-820; Gerald E. Wade, «The Year of Tirso's Birth», *Hispanófila,* 19 (1963), 1-9; Manuel Penedo Rey, «Tirso de Molina: Aportaciones biográficas», *Estudios,* 5 (1949), 19-122.

de su presidente y fundador, Sebastián Francisco de Medrano. Durante las fiestas en honor de la canonización de San Isidro participó en los certámenes poéticos, pero sin éxito.

En el año 1624 tiene lugar la publicación de *Los cigarrales de Toledo,* obra miscelánea que contiene novelas, tres comedias y poesía lírica. Las tres comedias son *El vergonzoso en palacio, Cómo han de ser los amigos* y *El celoso prudente.* Una de las novelas es la famosa *Los tres maridos burlados.*

En 1625 Tirso fue desterrado de Madrid por decreto del Consejo de Castilla por el escándalo que el dramaturgo causó «con comedias que hace profanas y de malos incentivos». Tirso fue nombrado comendador (prior) del monasterio de Trujillo en 1626, uno de los más antiguos de su Orden. El año siguiente publicó *Doce comedias nuevas del Maestro Tirso de Molina.* Es la *Primera parte* de sus comedias y salió a la luz en Sevilla.

Tirso pasó tres años fuera de Madrid, visitando varias ciudades en Portugal. En 1632 fue nombrado cronista general de su Orden y completó, en 1639, las dos primeras partes de la *Historia general de la Orden de Nuestra Señora de las Mercedes.*

La *Tercera parte* de sus comedias fue publicada en Tortosa en 1634 y salió a la luz antes de la *Segunda.* Esta fue publicada en 1635 en Madrid y la *Cuarta parte* también en el mismo año. Asimismo, es de esa fecha *Deleitar aprovechando,* obra miscelánea que contiene ensayos, autos sacramentales y tres novelas. La *Quinta parte* de sus comedias se publicó en Madrid en 1636.

Desde 1640 en adelante se sabe muy poco del gran dramaturgo. De ese año data la enemistad personal con fray Marcos Salmerón, compañero suyo. que hizo desterrar a Tirso de la corte. Le nombraron comendador del monasterio de Soria en 1645. Tirso pasó a Almazán por razones de salud y allí murió el 24 de febrero de 1648.

Análisis e interpretación de
El vergonzoso en palacio

Joaquín Casalduero fue el primero que hizo un estudio comprensivo de *El vergonzoso en palacio* [1]. Organiza la comedia alrededor de ciertos núcleos de escenas y personajes para mostrar la relación entre las agrupaciones tocante a la versificación, los motivos, la acción, los temas, la palabra y la estética del Barroco: el fingir, la armonía de las partes, la psicología y el claroscuro. El análisis abarca toda la obra, atendiendo especialmente a la función de los varios metros. Nosotros pensamos analizar la comedia desde el punto de vista temático-estructural, demostrando la estrecha relación de las varias partes de la acción y la motivación de los personajes. En particular, queremos hacer hincapié en el papel de la imaginación en la realidad psíquica.

Hay dos acciones en *El vergonzoso en palacio*: la acción secundaria describe el fondo sobre el cual se desarrolla la acción principal. La acción secundaria, o menor, es política; la principal es romántica. Ambas acciones presentan dos partes, pues se mezclan elementos políticos en la acción romántica y elementos románticos en la política, lo cual unifica las dos acciones en un conjunto coherente. La presencia de uno o dos personajes en ambas acciones constituye otro vínculo de eslabonamiento. Otro factor conectivo es la introducción de temas relacionados, por ejemplo, la traición y la infidelidad, la decepción y el fraude, y el uso de recursos técnicos tales como los disfraces y las mascaradas.

La acción política se puede dividir también en dos partes. La primera trata de la acusación falsa de traición contra don Pedro, duque de Coimbra, fugitivo disfraza-

---

[1] Sentido y forma de *El vergonzoso en palacio*, NRFH, 15 (1961), 198-216.

do de pastor bajo el nombre de Lauro. El primer segmento consiste en la restauración del honor de Lauro. Su hijo, Mireno, que también va disfrazado de pastor, está ajeno a su verdadero origen que sólo le descubre su padre en los últimos momentos de la comedia, cuando sirve para reforzar su oferta de matrimonio a una dama de alto rango. Hasta entonces, la crisis de identidad de Mireno hace de obstáculo a su autorrealización. Su observación del porte noble de su padre y su lenguaje culto le han inclinado a buscar «cosas grandes» en la corte de Avero.

En el camino, Mireno se encuentra con Ruy Lorenzo, el antiguo secretario del duque de Avero, exiliado de la corte ducal. Para vengar el agravio a su hermana Leonela, que había sido seducida por don Duarte, conde de Estremoz, Ruy había falsificado la firma del Duque en una carta en que buscaba a alguien que matara al culpable. Impresionado por el relato de Ruy, y movido a compasión, Mireno y su lacayo Tarso se cambian de ropa con Ruy y su criado Vasco para que éstos eludan a la justicia, «porque la industria los trabajos vence» (I, 538). La restauración de Ruy a su antiguo favor y la reivindicación del honor de Leonela comprenden el segundo segmento de la acción política.

El mozo que Ruy había alquilado para matar a don Duarte visitó a una ramera que logró sacar por fuerza su secreto, y pronto todo Avero sabía la traición. El Conde oculta al Duque su papel en el deshonroso asunto.

La crisis de identidad de Mireno es la causa de su conflicto interior. Es impulsado por su «altiva imaginación» y su «soberbia ambición» (I, 348-9) a buscar cosas más altas. Pero el cielo, que podría haberle hecho noble, desgraciadamente le hizo pastor. Por tanto, su estado bajo le hizo vergonzoso y cobarde y no puede vencer su misma naturaleza (I, 356-8). Aún tenía dudas si era hijo de Lauro, o si le hurtó a algún señor, pero más tarde se dio cuenta de su autoengaño a causa del gran amor que tenía Lauro por él. Además, vino a creer que la discreción de su padre y su lenguaje le han destinado para la corte. Por fin, su estado bajo le fuerza a desterrarse para buscar fortuna.

Vestidos con la ropa de Ruy y Vasco, respectivamente, Mireno y Tarso son prendidos por los soldados del Duque; éstos son equivocados por los trajes de los fugitivos y los llevan a la corte. Sin saber nada de las cartas falsificadas, Mireno no comprende por qué el Duque persigue a Ruy en vez de ayudarle. Al fin y al cabo Ruy sólo buscaba justicia por el deshonor de su hermana. En el conflicto de valores, el Conde no siente remordimiento, sólo consternación por la difusión de la mala noticia a todas partes. En el episodio de Ruy-Conde se encuentran elementos románticos en una parte de la acción política.

La acción principal es romántica y, como la política, se puede dividir en dos segmentos. El duque de Avero tiene dos hijas, Serafina y Madalena, ambas de edad casadera. Ha prometido a Madalena al conde de Vasconcelos y Serafina a don Duarte, conde de Estremoz. Pero ni la una ni la otra desean casarse con el marido que ha escogido su padre. Madalena se enamora de Mireno, disfrazado ya de «don Dionís», nombre de linaje real, que escogió porque armonizaba con su atavío cortesano y su alta ambición. Los esfuerzos de Madalena por cortejar a Mireno y evitar su matrimonio con el Conde comprende el primero de los dos segmentos, el cual vamos a analizar ya.

Madalena se enamora del «talle» (I, 1108) de Mireno. Su soliloquio, que abre el acto segundo y que va dirigido a su «pensamiento» (II, 2), descubre su lucha interior: ¿debe amar a Mireno o al conde de Vasconcelos? Se pregunta si vive en un mundo de fantasía que construye «torres sin fundamento» en el aire, y si está bajo la influencia de «locas imaginaciones» (II, 3,6). Por fin, decide reprimir sus «desenfrenados deseos» porque «el decillo es locura o desvergüenza» (II, 53,60). Evita más apuros cuando llega Mireno a agradecerle su intervención en librarle de la cárcel.

Madalena vacila sobre si debe verle, pero al fin consiente en ello, después de varios intentos para llegar a una decisión. Es un ejemplo del conocimiento de Tirso que sabía cuán fácilmente las mujeres cambian de opinión. En su próximo soliloquio (II, 92-120), Madalena razona consigo misma que el amor es un apetito natural pero que las mujeres honradas se callan por convenciones sociales, «porque al fin hablan por señas / cuando hablan solos los ojos» (II, 119-120). En la entrevista, Madalena indaga el nacimiento y linaje de Mireno. Las respuestas evasivas de éste irritan a Madalena, evasivas por no estar seguro Mireno de su origen, quien sólo *imagina* que es portugués, pero *cree* que es noble. La irritación de Madalena aparece cuando comenta:

> «Creo», decís a cualquier punto.
> ¿Creéis, acaso, que os pregunto
> artículos de la fe?
>
> (II, 174-6)

Madalena intercedió por él porque le *imaginó* noble (II, 189-190). De acuerdo con la costumbre y tradición Madalena no debía cortejar a un hombre, pero emplea varios medios, algunos sutiles, otros no, para buscar al hombre que le interesa. Primero, juega con la ambición de Mireno para ganarse fama, instándole a que se quede en la corte y que solicite la plaza de secretario, «que el vuelo de una privanza / mil imposibles alcanza» (II, 222-3). Cuando Mireno expresa su temor de la privanza, Madalena virtualmente le manda con «... éste es mi gusto» (II, 227). Ella está a punto de confesarle abiertamente su amor pero se reporta cuando piensa en su honor (II, 246). Después de salir Madalena, Mireno se dirige a su «pensamiento», considerando las acciones y reacciones de la dama y concluye que ella le quiere. Pero el pensamiento de su bajo rango social (II, 289-292) le impide cortejarla.

Puesto que el Duque ha dado el puesto de secretario a Antonio, que se ha enamorado de Serafina, Madalena ruega a su padre nombre a Mireno su ayo «porque en mujer principal / falta es grande no saber / escribir cuando recibe / alguna carta, o si escribe / que no se pueda leer» (II, 578-582). En otro soliloquio Madalena decide comunicarle a Mireno su amor no por palabras sino por señas visibles, las cuales reflejan su tormento invisible puesto que su honor no la deja hablar (II, 631).

El hecho de que Madalena le haya escogido como su ayo impulsa a Mireno a pensar que le quiere. Pero su vergüenza le impide que exprese su amor. Para despertar los celos de Mireno, Madalena pide a su ayo que la enseñe a expresar su amor al conde de Vasconcelos. Esta estrategia fracasa y Madalena finge tropezar, dando su mano a Mireno con un comentario enigmático:

> Sabed que al que es cortesano
> le dan, al darle una mano,
> para muchas cosas pie.
>
> (II, 1152-4)

Mireno queda confuso y dirigiéndose a su «pensamiento», decide que Madalena ya no le quiere y que él sirve sólo de tercero para otro amor, todo lo cual se repite en un estribillo para resumir su situación: «que llevo la estatua yo / del conde de Vasconcelos» (II, 1163-4; 1173-4; 1183-4). Más tarde, Tarso, su lacayo, explica a Mireno que Madalena, como dama principal, no podría haberle dado una indicación más clara de su amor que declarar, «... al cortesano / le dan, al dalle una mano / para muchas cosas pie» (III, 286-8). Mireno sigue pasando por «un laberinto intrincado» (III, 307) de temores y dudas sobre si Madalena le prefiere de veras al conde de Vasconcelos. Después de todo, Mireno no es más que un «humilde pastor» mientras que Vasconcelos es heredero de la casa de Berganza. Esto es comparar el oro con el cobre (III, 320). Cuando su alma le impulsa a hablar con Madalena, la vergüenza le cierra la boca (III, 339-40). Luego Tarso procede a apelar a su estatura de hombre. Le explica que el comportamiento de ella es un «... rodeo / y traza para saber / si amas» (III, 395-7). Pero Mireno razona que es mejor «gozar un amor en duda, / que un desdén averiguado» (III, 379-380).

Así se ve en la relación entre Madalena y Mireno que cada uno se interesa en descubrir el propio yo del otro. Al mismo tiempo, todos creen que cada uno debe presentarse a sí mismo (es decir, «su propio yo») de tal manera que consiga lo que desea. Las relaciones humanas toman sobre sí la cualidad de una máscara en que cada personaje se pone la que conviene para revelar el yo apropiado a la ocasión, pero a la vez oculta el yo que, si fuera revelado, impediría su propósito. Así, la vida procede como un drama en que cada personaje es actor, director, dramaturgo, auditorio y crítico. En este drama social es casi imposible averiguar si un personaje se ha puesto máscara o no y es difícil percibir los motivos verdaderos.

En su próximo soliloquio Madalena repasa su relación con Mireno en la que le da indicación de su amor por sus actos. Desea que él exprese verbalmente lo que los ojos de Mireno le dicen (III, 423-4), pero el silencio de Mireno la lleva al borde de la desesperación y es impulsada a declararle su amor abiertamente, «contra el común orden y uso» (III, 449). Pero lo hará de tal manera que «le he de dejar más confuso» (III, 452). Tirso ampieza a usar aquí el recurso técnico de un drama dentro de otro drama en que un personaje procura descubrir la verdadera motivación del otro. Cuando Mireno llega a dar lección a Madalena, ésta finge estar dormida en la silla. Mireno tiembla y duda que sea hombre puesto que el temor le paraliza. Madalena le llama como si hablara entre sueños y le manda no partir. Luego se ocupa en un diálogo imaginario en que desempeña dos papeles, el de sí misma y el de Mireno.

Madalena conoce sus argumentos que demuele y sus defectos que minimiza en su intento de incitarle a una acción positiva. En su diálogo fingido le señala que el amor es natural en cuantos viven pero Mireno vacila en hablar, «temo perder por hablar / lo que gozo por callar» (III, 562-3).

Madalena emplea luego el ejemplo de un lienzo arrollado que un pintor no puede vender hasta que se desdoble y quede expuesto al público. Ella sabe que Mireno tiene celos de Vasconcelos. Comenta que el amor no depende de la igualdad social sino de la conformidad del alma y la voluntad (III, 602-3). Su drama dentro del drama llega a un clímax máximo cuando Madalena le exhorta a declarar su amor al mismo tiempo que le informa que ella le prefiere a Vasconcelos. Mireno no cabe de contento y «despierta» a Madalena. Él quiere que Madalena confirme despierta lo que decía «dormida», pero ella finge no acordarse de nada. Esto es un ejemplo de la duplicación interior: antes quería que él expresara verbalmente lo que sus ojos le decían por señas (III, 423-4). Ahora le ruega que repita lo que la oyó decir, pero Mireno no se atreve. Madalena expresa su impaciencia con el repetido uso de «acabad» (III, 653-657). Al fin y al cabo, después que Mireno repite las palabras de Madalena declarando su preferencia por él en vez de Vasconcelos, ella reacciona, comentando «... no creáis en sueños, / que los sueños, sueños son» (III, 667-8). Mireno está más confuso que nunca, «no he de hablar más en mi vida» (III, 681). Él informa a Tarso que al mismo tiempo es «amado y aborrecido», y que lo mejor es que vuelva a su vergüenza y recato. Suspira por la llaneza de su aldea frente al engaño de la corte:

> ¡Cuánto mejor es tu trato
> que el de palacio, confuso,
> donde el engaño anda al uso!
>
> (III, 705-7)

Teme que la noticia de su linaje humilde le ponga en vergüenza antes de ver terminar el enredo actual de amor. El problema de Tarso en adaptarse a las bragas cortesanas refleja la confusión de Mireno en adaptarse al enredo palaciego:

> a ti amor y a mí estas bragas
> nos han puesto en confusión.
>
> (III, 719-20)

Para probar al Duque, su padre, que ha mejorado su letra y que está clara a todos menos a Mireno, Madalena le pide a su ayo que corte una pluma. Madalena la arroja al suelo porque tiene un pelito y la impide que trace una línea clara. Este arranque de cólera es una exteriorización de su frustración para comunicar su amor a Mireno. El conde de Vasconcelos ha de llegar mañana, y el Duque intenta casar a Madalena con él y a Serafina con Estremoz. Esta inesperada situación fuerza a Madalena a tomar una decisión drástica. Para impedir un casamiento indeseado con Vasconcelos, manda a Mireno que siga las instrucciones que le ha entregado: que la visite en la huerta esa noche. Allá los dejamos para examinar el segundo segmento de la acción romántica —el cortejo de Serafina por Antonio—. Los dos segmentos románticos alternan hasta la crisis en que Tarso descubre los dos Dionises en el acto tercero.

Antonio, conde de Penela, está visitando a su prima Juana, que sirve a Serafina, la hija menor del duque de Avero. Enmascarándose bajo otro nombre, Antonio ha querido averiguar si las hijas del Duque son tan bonitas como el vulgo las ha pintado. Se enamora de Serafina y decide quedarse en la corte como secretario del Duque para aprovechar la oportunidad de cortejarla. Puesto que el Duque no conoce a Antonio personalmente, éste finge haberse criado con el conde de Penela del cual tiene cartas en favor de su candidatura. Antonio no sufre escrúpulos de conciencia en el servicio de un igual en el rango, aunque Juana cree que la traza es «... indecente, / primo, a tu calidad» (II, 400-1). Deseando estar cerca de Serafina, Antonio explica que «... cualquier estado / es noble con amor» (II, 401-2).

Serafina tiene varias idiosincrasias: primero, es aficionada a vestirse de hombre. Segundo, es amiga de la poesía y desempeñará un papel de hombre en una comedia. El ensayo tendrá lugar en un jardín donde Antonio hará que un pintor emboscado la retrate. Juana le ayudará haciendo que Serafina ensaye directamente delante del artista quien bosquejará el retrato que luego completará en casa. La palabra clave es «ver». Antonio está arrebatado de alegría, «que yo la pueda ver de aquesa suerte» (II, 485). El retrato que ha encargado le dejará «ver» a Serafina cuando esté lejos de ella. Antonio se toma por artista en su propio derecho, «pintores somos los dos: / ya yo el retrato he copiado / que se enamora y abrasa»

23

(II, 665-7). Es decir, ha «visto» a Serafina, y retiene una imagen mental de ella; la «ve» con el ojo de la mente. El pintor no comprende, y Antonio parafrasea el concepto de Aristóteles:

> Naipe es el entendimiento
> pues la llama tabla rasa,
> a mil pinturas sujeto,
> Aristóteles.
>
> (II, 669-672)

Después que los ojos han «visto» la belleza, el entendimiento ilumina el concepto y se lo presenta a la voluntad. Luego, Antonio aplica el concepto a Serafina:

> Del mismo modo miré
> de mi doña Serafina,
> la hermosura peregrina;
> tomé el pincel, bosquejé,
> acabó el entendimiento
> de retratar su beldad,
> compróle la voluntad,
> guarnecióle el pensamiento.
> ... ...
> ¿Ves cómo pinta quien ama?
>
> (II, 703-10; 715)

Antonio le señala que será un retrato «espiritual», porque la voluntad es sólo espíritu. La vista, que es corporal, pide un retrato corporal cuya belleza contemplará Antonio cuando esté solo.

Ya vestida de hombre, Serafina anhela «actuar» lo que no puede «ser», es decir, un hombre (II, 737-9). Hace su papel con tanto acierto que Juana se enamora de «él». Esto sugiere el problema de la homosexualidad y a la vez acentúa su talento histriónico, suscitando comicidad en las tablas para el entretenimiento del público. La larga definición de la comedia que recita Serafina hace hincapié en su atracción a todos los sentidos (II, 745-8), especialmente a la vista y al oído; pero de todas las facultades deleita más la mente.

24

Otra idiosincrasia de Serafina es la preocupación por su belleza. Al traerle el espejo, Juana le advierte «no te enamores de ti» (II, 801), y comenta, «temo que has de ser Narciso» (II, 806).

Antonio desea el retrato de Serafina vestida de hombre para que se asombre el mundo de que un ángel ande así (II, 832-4), pero los colores se cambiarán a oro (que representa al amor) y azul (los celos) (II, 1068).

La comedia que va a representar Serafina se titula *La portuguesa cruel;* Juana interpreta la crueldad de Serafina como «no tener / a nadie amor» (II, 852-3). En la obrita Serafina desempeña el papel de un príncipe celoso que desafía a un conde por una dama llamada Celia. Serafina, que es una actriz hábil, hace los papeles de los dos hombres. El príncipe regaña al conde imaginario por querer a Celia y a Celia por escuchar al conde. El episodio muestra no sólo su amor sino también sus celos... Serafina «actúa» pidiéndole perdón a Celia por la angustia que le ha causado. Tirso acentúa otra vez la unisexualidad cuando hace que Serafina abrace a Juana, «como te adoro, me atrevo; / no te apartes, no te quites» (II, 939-40). El incidente mueve a Juana a preguntar, ¿cómo se puede hacer el papel de un enamorado con tanto sentimiento sin tener amor? (II, 947-9). Esta pregunta parece indicar que Serafina sí que quiere, pero prefiere expresar su amor en las tablas. Un amor impedido en una dirección busca salida en otra. Recordemos que el Duque avisaba al Conde de las objeciones que tenía Serafina contra el matrimonio:

> ... importante
> será que disimuléis
> mientras doña Serafina
> al nuevo estado se inclina;
> porque ya, conde, sabéis
> cuán pesadamente lleva
> esto de casarse agora.
>
> (II, 606-12)

Sin duda, Serafina no quería al Conde, y por eso su «amor» buscaba salida en otra dirección.

En el próximo episodio Serafina desempeña el papel de un «loco». Celia decide casarse con el conde y el príncipe asiste a la boda donde «él» está por matar a todos, admitiendo, «que no hay quien pueda resistir el fuego, / cuando le enciende amor y soplan celos» (II, 1035-6). Este incidente demuestra aún más el amor y los celos que no sólo se encuentran en el talento teatral de Serafina, sino que reflejan también lo que de verdad experimenta.

Serafina está asombrada al saber que Antonio la ha engañado e insultado al Duque, entrando en su servicio con falsas apariencias. Ella le recuerda que su padre la ha prometido al Conde, y que aunque no fuese así, se casaría con él para castigar su necedad. Serafina manda que Antonio se aparte de Avero porque le odia. Hoy día los psicólogos afirman que el amor y el odio son contrarios de la misma pasión y que el odio puede pasar al amor y viceversa con mucha rapidez por medio de un proceso llamado «enantiodromia». Desesperado, Antonio arroja el retrato con la imprecación de que ella sea tan infeliz como él:

> hágate amor Narciso,
> y de tu misma imagen y hermosura
> de suerte te enamores,
> que como lloro, sin remedio llores.
>
> (III, 770-3)

Obedeciendo a su curiosidad femenina, Serafina recoge la pintura pero no se reconoce a sí misma. Sólo ve en ella la figura de un hombre que se le parece. No puede explicar el enigma. Creyéndolo un «enredo» llama a Juana para que la saque de su confusión. En otro soliloquio, Serafina descubre su amor por la persona del retrato, «pues vivos no me han vencido, / y él me venciera pintado» (III, 900-1), pero no está sorprendida de su cambio de opinión, «que siempre la semejanza / ha sido causa de amor» (III, 904-5). La semejanza de que habla Serafina se refiere a la beldad que ve en su mente entre el traslado y el original. Serafina se convence así con su propio analogía, y se convierte en persona normal que sucumbe al fuego del amor. Gracias al truco, Serafina se enamora, como Narciso, de su propia imagen, lo cual ayudará el plan de Antonio.

Éste también está sorprendido del cambio drástico en la actitud de Serafina cuando le manda quedarse. Tomándolo por un «enredo» (III, 906), como Serafina tomó por enredo el entrar Antonio en el servicio ducal, Antonio decide servirse de una mentira para alcanzar su meta. Cuando Serafina demanda una explicación en cuanto al retrato, Antonio repite el consabido cuento de traición contra el duque de Coimbra. Hasta cierto punto, el cuento es verdadero, pero Antonio inventa una mentira: el hijo se enamoró de Serafina y rogó a Antonio sirviera de tercero. Cuando Serafina rechazó el «mentiroso amor» (III, 1030) de Antonio, éste arrojó el retrato de don Dionís de Coimbra. Esta situación duplica la del primer segmento de la acción principal cuando Mireno se tomó por tercero entre Madalena y Vasconcelos. Serafina siente los agudos dolores del amor y decide en su mente que

> con hombre tan principal
> a mi calidad igual,
> y que a mi amor corresponde,
> es ingratitud no amalle.
>
> (III, 1067-1070)

Como Serafina, Antonio desempeñará dos papeles para conseguir lo que quiere:

> Don Dionís he de ser yo
> de noche, y de día el conde
> de Penela.
>
> (III, 1084-6)

Va al jardín de noche donde, cambiando el timbre de su voz, hace de don Dionís. Temerosa de que una dilación pueda suponer su casamiento con el Conde, Serafina deja a «Dionís» que entre en su habitación. Tarso, a quien Mireno acaba de enviar para guardar el lugar, alcanza a oír la conversación. Sólo ve una persona, pero oye hablar a dos e informa a Mireno de que hay dos don Dionises en el jardín.

En este punto las dos partes de las dos acciones, tanto romántica como política, empiezan a convergir. Lauro y Ruy llegan a la corte en el momento en que se lee un pregón exculpando a Pedro de la traición, y anunciando la captura y castigo del traidor, Vasco Fernández. Madalena anuncia su casamiento con su ayo; el amor los ha igualado. Pero no hay necesidad de acentuar la idea de igualdad por el amor pues Lauro descubre su verdadera identidad como duque de Coimbra y revela a Mireno su identidad como don Dionís. Serafina cree que es una equivocación porque fue don Dionís, hijo del duque de Coimbra, quien prometió casarse con ella. Antonio confiesa entonces que engañó a Serafina anoche. Juana identifica a su primo como el conde de Penela, digno de casarse con Serafina. El conde de Estremoz está de acuerdo en casarse con Leonela, a quien despreció después de seducirla. El Duque perdona a Ruy y aprueba las bodas de Serafina y Antonio puesto que el de Vasconcelos nunca llegó y así perdió la oportunidad.

Richard F. Glenn ha analizado los numerosos disfraces y mascaradas que aumentan la complicación, confusión e identidades equivocadas de la comedia [2]. Destaca que esos personajes cuya identidad con lo bueno nunca es posible y los que cambian su identidad por razones poco éticas son castigados. Mireno, bajo el disfraz de don Dionís, es premiado porque su conducta es virtuosa y sus aspiraciones nobles. Lauro, que oculta su verdadera identidad para evitar su detención es restaurado al favor político después de ser aprehendido el verdadero traidor. Ruy Lorenzo oculta su verdadera personalidad para evitar su procesamiento por haber falsificado cartas y haber pla-

---

[2] Richard F. Glenn, «Disguises and Masquerades in Tirso's *El vergonzoso en palacio*», en *Bulletin of the Comediantes* 17, 2 (1965), págs. 16-22.

neado la muerte de Estremoz al tratar de restaurar el deshonor de su hemrana. El conde de Estremoz, quien sedujo y abandonó a Leonela, es obligado a cumplir con su palabra de casarse con ella.

Glenn opina que Antonio, que ha comprometido el honor de Serafina, es obligado a casarse con ella y no puede anticipar ninguna felicidad. Ni puede ella quedar satisfecha con un marido que ha perdido el respeto de sí mismo (pág. 20). Pero la verdad es que Antonio eligió casarse con Serafina y lo que le pase en el futuro tocante a su felicidad es pura especulación y ocurre más allá de los límites de la comedia.

Además de los disfraces y mascaradas, hay otras formas de engaño empleadas, tanto por los hombres como por las mujeres, para conseguir la meta de un amor prohibido. Nos referimos a la estrategia y autoengaño usados por Mireno y Madalena, y a las mentiras y decepción de Antonio para vencer a Serafina. Además, la interacción de los problemas sicológicos afectan a Mireno y Serafina respectivamente, y estos problemas, junto con los enredos de Madalena y Antonio, constituyen lo más esencial de la acción.

Estos enredos ejercen una poderosa influencia en Mireno y Serafina; aquél está confuso por los motivos aparentemente cambiantes de Madalena, los cuales no entiende. Serafina está enojada por los engaños de Antonio. Madalena comprende la inquietud de Mireno por su bajo estado social, pero ella *cree* que el amor iguala todos los rangos, ya que ha encontrado al hombre que quiere (III, 1546-9). Antonio no ha notado nada extraño en el comportamiento de Serafina, probablemente porque la ve como actriz y acepta su conducta como parte de una convención dramática; además, está ciego de amor.

Francisco Ayala tiene razón en afirmar que el tema principal es el erotismo [3]. Otro tema relacionado es la

---

[3] Tirso de Molina, *El vergonzoso en palacio*. Edición, introducción y notas de Francisco Ayala. Madrid, Clásicos Castalia, 1971, págs. 7-35.

libertad de escoger el compañero para el matrimonio. Tanto Madalena como Serafina rechazan a los hombres que su padre ha escogido para ellas. Cuando el Duque está a punto de casarlas, se meten en una situación comprometedora con el hombre de su elección; así que el padre tiene poco que decir en la crisis. En verdad, está contento de casar a Serafina con cualquiera. Comenta, «... el de Vasconcelos / perdió la ocasión por tardo, / disculpado estoy con él» (III, 1625-7).

La descripción que hace Serafina de la comedia se remata con un número de comparaciones. Entre ellas se encuentra el verso, «de la vida es un traslado» (II, 773). *El vergonzoso en palacio* es un traslado en el sentido que muestra los problemas humanos que superan el tiempo y el espacio: el amor, el narcisismo, la vergüenza, la crisis de identidad, la injusticia de un castigo no justificado y el sufrimiento, la igualdad social en el casamiento, el desempeño de un papel y la decepción cuando no se logra la meta de uno. *El vergonzoso* en palacio revela el fraude y la decepción de los nobles en los niveles de la acción política y romántica. Esta comedia, como tantas otras, pinta las flaquezas de la raza humana no sólo en cuanto a la acción exterior, sino también a la interior que tiene lugar en la mente de los personajes.

Versificación

Jornada I

1-	182	Octavas	182
183-	426	Redondillas	244
427-	559	Endecasílabos sueltos	133
560-	659	Redondillas	100
660-	673	Soneto	14
674-	793	Redondillas	120
794-	883	Quintillas	90
884-	1123	Redondillas	240

1123

Jornada II

1-	120	Décimas	120
121-	248	Redondillas	128
249-	298	Décimas	50
299-	351	Redondillas	53
352-	415	Octavas	64
416-	514	Endecasílabos sueltos	99
515-	626	Redondillas	112
627-	646	Décimas	20
647-	954	Redondillas	308
955-1034		Romance e-o	80
1035-1036		Endecasílabos	2
1037-1082		Romance e-o	46
1083-1154		Redondillas	72
1155-1184		Quintillas	30

1184

Jornada III

1-	20	Quintillas	20
21-	24	Redondillas	4
25-	49	Quintillas	25
50-	53	Redondillas	4
54-	78	Quintillas	25
79-	284	Romance e-a	206
285-	720	Redondillas	436
721-	761	Endecasílabos sueltos	41
762-	797	Sextinas	36
798-	945	Redondillas	148
946-1041		Romance í-a	96
1042-1373		Redondillas	332
1374-1660		Romance a-o	287

1660

		%
Redondillas	2301	57,9
Romance	715	17,9
Endecasílabos sueltos	275	6,9
Octavas	246	6,2
Quintillas	190	5,2
Décimas	190	4,7
Soneto	14	0,3
Sextinas	36	0,9
	3967	

Nuestra edición

Nos hemos servido de la edición de Américo Castro en Clásicos Castellanos, quien consultó los dos manuscritos del siglo XVII, los cuales están en la Biblioteca Nacional de Madrid. La hemos cotejado con la de Francisco Ayala en Clásicos Castalia. Hemos utilizado algunas notas de A. C. y F. A., entre paréntesis.

Bibliografía escogida

Ediciones

Manuscritos: Existen dos en la Biblioteca Nacional de Madrid, números 14996 y 16912. Son del siglo XVII, que Américo Castro describe como copia uno del otro, o del mismo texto, y que ha empleado para corregir su edición.

Ediciones antiguas

El vergonzoso en palacio apareció incorporada a *Los cigarrales de Toledo,* compuesto por el maestro Tirso de Molina, natural de Madrid. Año en Barcelona, 1621. Entre las págs. 106 y 182.

Los cigarrales de Toledo. Primera parte. Con privilegio. En Madrid, por la viuda de Luis Sánchez. Impressora del Reyno. Año de MCDXXX. A costa de Alonso Pérez, librero de su Magestad. *Vergonzoso* está entre las págs. 36 y 38.

El vergonzoso en palacio. Núm. 91. Comedia sin fama del maestro Tirso de Molina. A costa de Don Theresa de Guzmán. Hallaráse en su Lonja de Comedias de la Puerta del Sol... (s. a.).

El vergonzoso en palacio, comedia del maestro Tirso de

Molina, representada varias veces en el Teatro de la Cruz, y reimpresa conforme a la edición original del mismo autor, que se halla en su obra intitulada *Los cigarrales de Toledo.* Madrid, con licencia. Imprenta que fue de Fuentenebro. 1817.

Comedias escogidas del maestro Tirso de Molina, tomo I. Con licencia, Madrid: Imprenta de Ortega y Compañía, 1826.

HARTZENBUSCH, JUAN E. DE: *Teatro escogido de Fray Gabriel Téllez, conocido con el nombre de El Maestro Tirso de Molina,* Madrid, 1839.

Ediciones del siglo XX

COTARELO, E.: *Comedias de Tirso de Molina,* Madrid, 1906.

TIRSO DE MOLINA: *El vergonzoso en palacio, El burlador de Sevilla,* Madrid, 1.ª ed., 1910; 2.ª ed., «muy renovada», 1922.

— *El vergonzoso en palacio,* Madrid, Biblioteca Universal, 1916.

— *El vergonzoso en palacio,* Madrid, Colección Austral, 1954.

— *El vergonzoso en palacio,* edición de Francisco Tolsada, Zaragoza, Biblioteca Clásica Ebro, 1967.

— *Obras dramáticas completas de Tirso de Molina,* edición de Blanca de los Ríos, Madrid, Aguilar. I, 1946; II, 1952; III, 1958.

— *El vergonzoso en palacio,* edición de Francisco Ayala, Madrid, Castalia, 1971.

ESTUDIOS

AGHEANA, ION T.: *The Situational Drama in Tirso de Molina,* Madrid, Plaza Mayor, 1972.

AUBRUN, CHARLES V.: *La comedia española (1600-1800),* Madrid, Taurus, 1968.

BUSHEE, ALICE H.: *Three Centuries of Tirso de Molina,* Philadelphia, University of Penna, Press, 1939.

CASALDUERO, JOAQUÍN,: «Sentido y forma de *El vergonzoso en palacio*», *NRFH,* 15 (1961), págs. 198-216.

— *Estudios sobre el teatro español,* Madrid, Gredos, 1962.

COTARELO, E.: *Tirso de Molina. Investigaciones bibliográficas,* Madrid, 1893.

— 'Discurso preliminar' al frente de las *Comedias de Tirso de Molina,* Madrid, 1906.

ESTUDIOS: *Tirso de Molina*: ensayos sobre la biografía y la obra del padre maestro fray Gabriel Téllez, Madrid, 1949. (Número especial de la revista *Estudios,* dedicado a Tirso.)

GUASTAVINO GALLENT, GUILLERMO: «Notas tirsianas, II: más sobre el nacimiento de Tirso», *RABM,* 69 (1961), págs. 817-820.

GLENN, RICHARD F.: «Disguises and Masquerades in Tirso's *El vergonzoso en palacio*», *BCom* (1965), páginas 16-22.

HESSE, EVERETT W.: «Catálogo bibliográfico de Tirso de Molina (1648-1948), incluyendo una sección sobre la influencia del tema de don Juan», *Estudios,* 5 (1949), págs. 781-889.

— «Suplemento primero a la bibliografía general de Tirso...», *Estudios,* 7 (1951), págs. 97-109; «Suplemento segundo...», *ibid.,* 8 (1952), págs. 177-206; «Suplemento tercero...», *ibid.,* 9 (1953), págs. 177-188; «Suplemento cuarto...», *ibid.,* 10 (1954), páginas 181-184; «Suplemento quinto...», *ibid.,* 11 (1955), páginas 145-150; «Suplemento sexto...», *ibid.,* 12 (1956), págs. 159-162; «Suplemento séptimo...», *ibid.,* 17 (1960), págs. 541-547; «Suplemento octavo», *ibid.,* 28 (1972), págs. ·251-261; «Suplemento noveno...», *ibid.,* 31 (1975), págs. 523-534.

— *Análisis e interpretación de la comedia,* Madrid, Castalia, 1968.

— *La comedia y sus intérpretes,* Madrid, Castalia, 1972.

KENNEDY, RUTH LEE: «Certain Phases of the Sumptuary Decrees of 1613 and Their Relation to Tirso's Theater», *HR,* 10 (1942), págs. 183-214.

— «Studies for the Chronology of Tirso's Theater», *HR,* 11 (1943), págs. 17-46.

— *Studies in Tirso, I: the Dramatist and His Competitors* 1620-26, Chapel Hill. North Carolina Studies in the Romance Languages and Literatures, Essay 3, UNC Dept of Romance Languages, 1974.

PARKER, A. A.: «The Approach to the Spanish Drama of the Golden Age», *Tulane Drama Review,* 4 (1959-60), págs. 42-59.

PENEDO REY, MANUEL: «Tirso de Molina. Aportaciones biográficas», en *Estudios,* 5 (1949), págs. 19-122.

PATERSON, A. K. G.: «Tirso de Molina. Two Bibliographical Studies», en *HR,* 35 (1967), págs. 43-68.

PEYTON, MYRON A.: «Some Baroque Aspect of Tirso de Molina», en *RR,* 36 (1945), págs. 43-69.

RÍOS BLANCA DE LOS: *El enigma biográfico de Tirso de Molina,* Madrid, 1928.

SCHALK, FRITZ: «Melancholie im Theater von Tirso de Molina», en *Ideen und Formen,* págs. 215-238.

VALBUENA PRAT, A.: *El teatro español en su Siglo de Oro,* Barcelona, 1969.

VOSSLER, KARL: *Lecciones sobre Tirso de Molina,* Madrid, Taurus, 1965.

WADE, GERALD: «Tirso's Self-Plagiarism in Plot», en *HR,* 4 (1936), págs. 59-65.

— «Notes on Tirso de Molina», en *HR,* 7 (1939), páginas 69-72.

— «The Year of Tirso's Birth», *Hispanófila,* 19 (1963), páginas 1-9.

— «Tirso's *Cigarrales de Toledo:* Some Clarafications and Identifications», en *HR,* 33 (1965), págs. 246-272.

— «Elements of a Philosophic Basis for the Interpretation of Spain's Golden Age Comedy», en *Estudios literarios de hispanistas norteamericanos dedicados a Helmut Hatzfeld con motivo de su 80 aniversario.* Compilados y editados por Josep M. Sola-Solé, Alessandro Crisafulli y Bruno Damiani, Barcelona, Hispam, 1974, págs. 323-347.

COMEDIA FAMOSA

DEL

VERGONZOSO EN PALACIO

PERSONAS DELLA

El Duque de Avero.	Ruy Lorenzo, *secretario.*
Don Duarte, *conde de Estremoz.*	Vasco, *lacayo.*
	Doña Juana.
Dos Cazadores.	Doña Madalena.
Figueredo, *criado.*	Don Antonio.
Tarso, *pastor.*	Doña Serafina.
Melisa, *pastora.*	Un Pintor.
Doristo, *alcalde.*	Lauro, *viejo, pastor.*
Mireno, *pastor.*	Bato, *pastor.*
Lariso, *pastor.*	Un Tambor.
Denio, *pastor.*	

Representóla Sánchez [1], único en este género
[*La escena es en Avero [2] y en sus cercanías.*]

---

[1] Hay varios actores con el apellido de Sánchez; véanse Cotarelo, *Tirso de Molina,* Madrid, 1893, 217, y H. A. Rennert, *The Spanish Stage in the Time of Lope de Vega,* Nueva York, 1909, que da una lista alfabética de los actores de la época.

[2] *Avero.* Ciudad al norte de Lisboa. El ducado no se creó hasta 1557.

ACTO PRIMERO

(*Salen el* DUQUE DE AVERO, *viejo, y el* CONDE
DE ESTREMOZ, *de caza.*)

DUQUE.   De industria a esta espesura retirado
      vengo de mis monteros, que siguiendo
      un jabalí ligero, nos han dado
      el lugar que pedís; aunque no entiendo
      con qué intención, confuso y alterado,   5
      cuando en mis bosques festejar pretendo
      vuestra venida, conde don Duarte,
      dejáis la caza por hablarme aparte.

CONDE.   Basta el disimular; sacá el acero,
      que, ya olvidado, os comparaba a Numa [3];   10
      que el que desnudo veis, duque de Avero,
      os dará la respuesta en breve suma.
      De lengua al agraviado caballero
      ha de servir la espada, no la pluma,
      que muda dice a voces vuestra mengua.   15
                     (*Echan mano.*)

DUQUE.   Lengua es la espada, pues parece lengua;
        y pues con ella estáis, y así os provoca
      a dar quejas de mí, puesto que [4] en vano,
      refrenando las lenguas de la boca,
      hablen solas las lenguas de la mano,   20

---

    [3] Rey romano citado como epítome de virtud y piedad regias
por la religiosidad que legendariamente se le atribuye (A. C.).
    [4] *puesto que,* 'aunque'.

si la ocasión que os doy (que será poca
para ese enojo poco cortesano),
a que primero le digáis no os mueve;
pues mi valor ningún agravio os debe.

CONDE. ¡Bueno es que así disimuléis los daños   25
que contra vos el cielo manifiesta!

DUQUE. ¿Qué daños, conde?

CONDE.   Si en los largos años
de vuestra edad prolija, agora apresta,
duque de Avero, excusas, no hay engaños
que puedan convencerme; la respuesta   30
que me pedís ese papel la afirma
con vuestro sello, vuestra letra y firma.
                            (Arrójale.)

Tomadle, pues es vuestro; que el criado
que sobornastes para darme muerte
es, en lealtad, de bronce, y no ha bastado   35
vuestro interés contra su muro fuerte.
Por escrito mandastes que en mi estado
me quitase la vida, y, desta suerte,
no os espantéis que diga, y lo presuma,
que, en vez de espada, ejercitáis la pluma.   40

DUQUE. ¡Yo mandaros matar!

CONDE.   Aqueste sello,
¿no es vuestro?

DUQUE.   Sí.

CONDE.   ¿Podéis negar tampoco
aquesa firma? Ved si me querello
con justa causa.

DUQUE.   ¿Estoy despierto o loco?

CONDE. Leed ese papel; que con leello   45
veréis cuán justamente me provoco [5]
a tomar la venganza por mis manos.

DUQUE. ¿Qué enredo es éste, cielos soberanos? *(Lee
el* DUQUE *la carta.)*

«Para satisfacción de algunos agravios,
que con la muerte del conde de Estremoz   50
se pueden remediar, no hallo otro me-

---

[5] *me provoco,* 'me incito'.

dio mejor que la confianza que en vos
tengo puesta; y para que salga verdadera,
me importa, pues sois su camarero, seáis
también el ejecutor de mi venganza; cum- 55
plidla, y veníos a mi estado; que en él
estaréis seguro, y con el premio que merece el peligro a que os ponéis por mi
causa. Sírvaos esta carta de creencia, y
dádsela a quien os la lleva, advirtiendo 60
lo que importa la brevedad y el secreto.
De mi villa de Avero, a 12 de marzo de
1400 años. EL DUQUE.»

CONDE.   No sé qué injuria os haya jamás hecho
la casa de Estremoz, de quien [6] soy conde,
para degenerar del noble pecho   65
que a vuestra antigua sangre corresponde.

DUQUE.   Si no es que algún traidor ha contrahecho
mi firma y sello, falso, en quien se esconde
algún secreto enojo, con que intenta
con vuestra muerte mi perpetua afrenta, 70

vive el cielo, que sabe mi inocencia,
y conoce al autor deste delito,
que jamás en ausencia o en presencia,
por obra, por palabra o por escrito,
procuré vuestro daño: a la experiencia, 75
si queréis aguardarla, me remito;
que, con su ayuda, en esta misma tarde
tengo de descubrir su autor cobarde.

Confieso la razón que habéis tenido;
y hasta dejaros, conde, satisfecho,   80
que suspendáis el justo enojo os pido,
y soseguéis el alterado pecho.

CONDE.   Yo soy contento, duque; persuadido
me dejáis algún tanto.

DUQUE.   (Aparte.)   Yo sospecho
quién ha sido el autor de aqueste insulto 85
que con mi firma y sello viene oculto;
pero antes de que dé fin hoy a la caza,

---

[6] quien, 'que'.

42

descubriré quién[7] fueron los traidores.

(*Salen dos* CAZADORES.)

C. 1.º	¡Famoso jabalí!
C. 2.º	Dímosle caza,

y, a pesar de los perros corredores,   90
hicieron sus colmillos ancha plaza,
y escapóse.

DUQUE.   Estos son mis cazadores.
Amigos…

C. 1.º   ¡Oh, señor!

DUQUE.   No habréis dejado
a vida jabalí, corzo o venado.
    ¿Hay mucha presa?

C. 2.º   Habrá la suficiente   95
para que tus acémilas no tornen
vacías.

DUQUE.   ¿Qué se ha muerto?[8].

C. 2.º   Más de veinte
coronados venados, porque adornen
las puertas de palacio con su frente,
y porque en ellos, cuando a Avero tornen,   100
originales vean sus traslados,
quien [en] figuras de hombres son venados;[9]
    tres jabalíes y un oso temerario,
sin la caza menor, porque esa espanta.

DUQUE.   Mátase en este bosque de ordinario   105
gran suma della.

C. 1.º   No hay mata ni planta
que no la críe.

(*Sale* FIGUEREDO.)

FIGUER.   (*Aparte.*)   ¡Oh falso secretario!

DUQUE.   ¿Qué es esto? ¿Dónde vas con prisa tanta?

FIGUER.   ¡Gracias a Dios, señor, que hallarte puedo!

DUQUE.   ¿Qué alboroto es aqueste, Figueredo?   110

---

[7] *quién*, 'quiénes'.
[8] *muerto*, 'matado'.
[9] Se refiere a los maridos cornudos.

FIGUER.	Una traición habemos descubierto
	que por tu secretario aleve urdida,
	al conde de Estremoz hubiera muerto,
	si llegara la noche.
CONDE.	¿A mí?
FIGUER.	La vida
	me debéis, conde.
CONDE.	(*Aparte.*) Ya la causa advierto 115
	de su enojo y venganza mal cumplida.
	Engañé la hermosura de Leonela,
	su hermana, y, alcanzada, despreciéla.
DUQUE.	¡Gracias al cielo, que por la justicia
	del inocente vuelve! Y ¿de qué suerte 120
	se supo la traición de su malicia?
FIGUER.	Llamó en secreto un mozo pobre y fuerte,
	y, como puede tanto la codicia,
	prometióle, si al conde daba muerte,
	enriquecerle; y, para asegurarle, 125
	dijo que tú, señor, hacías matarle.
	Pudo el vil interés manchar su fama:
	aquesta noche prometió, en efeto,
	cumplillo; mas amaba, que es quien ama [10]
	pródigo de su hacienda y su secreto. 130
	Dicen que suele ser potro la cama
	donde hace confesar al más discreto
	una mujer que da a la lengua y boca
	tormento, no de cuerda, mas de toca.
	Declaróla el concierto que había hecho, 135
	y encargóla el secreto; mas como era
	el güésped grande, el aposento estrecho,
	tuvo dolores hasta echalle fuera.
	Concibió por la oreja; parió el pecho
	por la boca, y fue el parto de manera 140
	que, cuando el sol doraba el mediodía,
	ya toda Avero la traición sabía.

---

[10] Estos versos establecen el tema erótico de la obra. A continuación Tirso compara los engaños de la mujer para confesar a su amante con el tormento del verdugo para hacer confesar al reo. En el verso 134 toca usada sobre la cara, que tapaba las narices; echaban a través de ella agua a la boca. También, prenda de vestir.

Prendió al parlero mozo la justicia,
y Ruy Lorenzo huyó con un criado,
cómplice en las traiciones y malicia, 145
que el delincuente preso ha confesado.
Desto te vengo a dar, señor, noticia.

DUQUE. ¿Veis, conde, cómo el cielo ha averiguado
todo el caso, y mi honra satisfizo?
Ruy Lorenzo mi firma contrahizo. 150
Averiguar primero las verdades,
conde, que despeñarse, fue prudencia
de sabias y discretas calidades.

CONDE. No sé qué le responda a vueselencia:
sólo que, de un ministro, en falsedades 155
diestro, pudo causar a mi impaciencia
el engaño que agora siento en suma;
mas, ¿qué no engañará una falsa pluma?

DUQUE. Yo miraré desde hoy a quién recibo
por secretario.

CONDE. Si el fiar secretos 160
importa tanto, ya yo me apercibo
a elegir más leales que discretos.

DUQUE. Milagro, conde, fue dejaros vivo.

CONDE. La traición ocasiona estos efetos:
[huyó] la deslealtad, y la luz pura 165
de la verdad, señor, quedó segura.

DUQUE. ¡Válgame el cielo! ¡Qué dichoso he sido!
Para un traidor que en esto se desvela,
todo es poco.

CONDE. Perdón humilde os pido.

DUQUE. A cualquiera engañara su cautela: 170
disculpado estáis, conde.

CONDE. (Aparte.) Aquesto ha urdido
la mujeril venganza de Leonela;
pero importa que el duque esté ignorante
de la ocasión que tuvo, aunque bastante.

DUQUE Pésame que el autor de aqueste exceso 175
huyese. Pero vamos; que buscalle
haré de suerte que, al que muerto o preso
le trujere, prometo de entregalle
la hacienda que dejó.

45

C. 2.º	Si ofreces eso
	no habrá quien no le siga.
DUQUE.	Verá dalle 180
	todo este reino un ejemplar castigo.
CONDE.	La vida os debo; pagaréla, amigo.

(*Vanse.*)

(*Salen* TARSO *y* MELISA, *pastores.*)

MELISA.	¿Así me dejas, traidor?
TARSO.	Melisa: domá otros potros;
	que ya no me hace quillotros [11] 185
	en el alma vueso amor.

    Con la ausencia de medio año
que ha que ni os busco ni os veo,
curó el tiempo mi deseo,
la enfermedad de un engaño.   190
Dándole a mis celos dieta,
estoy bueno poco a poco;
ya, Melisa, no so loco,
porque ya no so poeta.
    ¡Las copras [12] que a cada paso   195
os hice! ¡Huego [13] de Dios
en ellas, en mí y en vos!
¡Si de subir al Parnaso
por sus musas [14] de alquiler
me he quedado despeado!   200
¡Qué de nombres que os he dado
luna, estrella, locifer...
    ¿Qué tenéis bueno, Melisa,
que no alabase mi canto?
Copras os compuse al llanto,   205
copras os hice a la risa,
    copras al dulce mirar,
al suspirar, al toser,
al callar, al responder,

---

[11] *quillotro,* es un sustituto por algo relacionado con el amor, que no aciertan a nombrar.
[12] *copras,* 'coplas'.
[13] *huego,* 'fuego'.
[14] *musas,* tal vez efecto cómico por mulas.

al asentarse, al andar,
al branco color, al prieto,
a vuesos desdenes locos,
al escopir, y a los mocos
pienso que os hice un soneto. 215

Ya me salí del garlito
do me cogistes, par Dios;
que no se me da por vos,
ni por vueso amor, un pito.

MELISA.   ¡Ay Tarso, Tarso, en efeto
hombre, que es decir olvido! 220
¿Que una ausencia haya podido
hacer perderme el respeto
        a mí, Tarso?

TARSO.   A vos, y a Judas.
Sois mudable [15]: ¿qué queréis,
si en señal deso os ponéis 225
en la cara tantas mudas?

MELISA. Así, mis prendas me torna,
mis cintas y mis cabellos.

TARSO. ¿Luego pensáis que con ellos
mi pecho o zurrón se adorna? 230

¡Qué boba! Que a estar yo ciego
trujera conmigo el daño.
Ya, Melisa, habrá medio año
que con todo di en el huego [16].

Cabellos que fueron lazos 235
de mi esperanza crueles,
listones, rosas, papeles,
baratijas y embarazos,

todo el huego lo deshizo,
porque hechizó mi sosiego; 240
pues suele echarse en el huego,
porque no empezca, el hechizo.

Hasta el zurrón di a la brasa
do guardé mis desatinos;

---

[15] Juego de palabras entre mudable (inconstante) y mudas, es decir, cambios; también significa afei. de las mujeres y así cambiaban la apariencia de la faz.
[16] Tarso ha echado al fuego todas las prendas de amor.

	que por quemar los vecinos	245
	se pega huego a la casa.
MELISA.	¿Esto he de sufrir? ¡Ay, cielo! *(Llora.)*
TARSO.	Aunque lloréis un diluvio;
	tenéis el cabello rubio [17],
	no hay que fiar dese pelo.	250
	Ya os conozco, que sois fina.
	¡Pues no me habéis de engañar,
	par Dios, aunque os vea llorar
	los tuétanos y la orina!
MELISA.	¡Traidor!
TARSO.	¡Verá la embinción! [18]	255
	Enjugad los arcaduces;
	que hacéis el llanto a dos luces
	como candil de mesón.
MELISA.	Yo me vengaré, cruel.
TARSO.	¿Cómo?
MELISA.	Casándome, ingrato.	260
TARSO.	Eso es tomar el zapato,
	y daros luego con él.
MELISA.	Vete de aquí.
TARSO.	Que me place.
MELISA.	¿Que te vas desa manera?
TARSO.	¿No lo veis? Andando.
MELISA.	Espera.	265
	¿Mas que [19] sé de dónde nace
	tu desamor?
TARSO.	¿Mas que no?
MELISA.	Celillos son de Mireno.
TARSO.	¿Yo celillos? ¡Oh, que bueno!
	Ya ese tiempo se acabó.	270
	Mireno, el hijo de Lauro,
	a quien sirvo, y cuyo pan
	como, es discreto y galán,
	y como tal le restauro
	vuestro amor; mas yo le miro	275

---

[17] Se suponía que Judas (mencionado en el verso 223) tenía el pelo rojo que era señal de falsedad.

[18] *embinción,* 'invención'.

[19] *mas que,* 'a que'.

tan libre, que en la ribera
no hallaréis quien se prefiera [20]
a hacelle dar un suspiro.

　　Trújole su padre aquí
pequeño, y bien sabéis vos　　　　　　　　280
que murmuran más de dos,
aunque vive y anda así,
　　que debajo del sayal
que le sirve de corteza
se encubre alguna nobleza　　　　　　　　285
con que se honra Portugal.

　　No hay pastor en todo el Miño [21]
que no le quiera y respete,
ni libertad que no inquiete
como a vos; mas ved qué aliño,　　　　　　290
　　si la muerte [22] hacelle quiso
tan desdeñoso y cruel,
que hay dos mil Ecos [23] por él
de quien es sordo Narciso.

　　Como os veis dél despreciada,　　　　295
agora os venís acá;
mas no entraréis; porque está
el alma a puerta cerrada.

MELISA.　En fin: ¿no me quieres?
TARSO.　　　　　　　　　　No.
MELISA.　Pues, para ésta [24], de un ingrato,　　300
que yo castigue tu trato.
TARSO.　¿Castigarme a mí vos?
MELISA.　　　　　　　　　　Yo:
　　presto verás, fementido,
si te doy más de un cuidado;
que nunca el hombre rogado　　　　　　　305
ama como aborrecido.

---

[20] *prefiera,* 'ofrezca'.

[21] *Miño,* río que sirve en su curso inferior de límite entre España y Portugal.

[22] *muerte,* tal vez error por 'suerte'.

[23] Tirso introduce aquí el tema de Eco y Narciso, el cual emplea con Melisa despreciada de Mireno y el cual empleará luego.

[24] *para ésta,* al decir esto Melisa hace la señal de la cruz.

TARSO.	Bueno.
MELISA.	Verás lo que pasa:
	celos te dará un pastor;
	que, cuando se pierde amor,
	ellos le vuelven a casa. *(Vase.)* 310
TARSO.	¿Sí? Andad. Échome a temer
	alguna burla, aunque hablo;
	que no tendrá miedo al diablo
	quien no teme a una mujer.

(Sale MIRENO, *pastor.)*

MIRENO.	¿Es Tarso?
TARSO.	¡Oh, Mireno! Soy 315
	tu amigo fiel, si este nombre
	merece tener un hombre
	que te sirve.
MIRENO.	Todo hoy
	te ando a buscar.
TARSO.	Melisa
	me ha detenido aquí un hora; 320
	y cuanto más por mí llora,
	más me muero yo de risa.
	Pero ¿qué hay de nuevo?
MIRENO.	Amigo:
	la mucha satisfacción
	que tengo de tu afición 325
	me obliga a tratar contigo
	lo que, a no quererte tanto,
	ejecutara sin ti.
TARSO.	De ver que me hables así,
	por ser tan nuevo, me espanto. 330
	Contigo, desde pequeño,
	me crió Lauro, y aunque,
	según mi edad, ya podré
	gobernar casa y ser dueño,
	quiero más, por el amor 335
	que ha tanto que te he cobrado,
	ser en tu casa criado,
	que en la mía ser señor.
MIRENO.	En fe de haber descubierto

mi experiencia que es así,   340
y hallar, Tarso, ingenio en ti,
puesto que humilde, despierto,
    pretendo, en tu compañía
probar si, hasta donde alcanza
la barra de mi esperanza[25],   345
llega la ventura mía.
    Mucho ha que me tiene triste
mi altiva imaginación,
cuya soberbia ambición
no sé en qué estriba o consiste.   350
    Considero algunos ratos
que los cielos, que pudieron
hacerme noble, y me hicieron
un pastor, fueron ingratos;
    y que, pues con tal bajeza   355
me acobardo y avergüenzo,
puedo poco, pues no venzo
mi misma naturaleza.
    Tanto el pensamiento cava
en esto, que ha habido vez   360
que, afrentando la vejez
de Lauro, mi padre, estaba
    por dudar si soy su hijo
o si me hurtó a algún señor;
aunque de su mucho amor   365
mi necio engaño colijo.
    Mil veces, estando a solas,
le he preguntado si acaso
el mundo, que a cada paso
honras anega en sus olas,   370
    le sublimó a su alto asiento
y derribó del lugar
que intenta otra vez cobrar
mi atrevido pensamiento;
    porque el ser advenedizo   375
aquí anima mi opinión,
y su mucha discreción

―――――――――――

[25] Va a lanzar su esperanza como la barra en el juego de este
nombre.

dice claro que es postizo
su grosero oficio y traje,
por más que en él se reporte,			380
pues más es para la corte
que los montes, su lenguaje.
			Siempre, Tarso, ha malogrado
estas imaginaciones,
y con largas digresiones			385
mil sucesos me ha contado,
			que todos paran en ser,
contra mis intentos vanos,
progenitores villanos
los que me dieron el ser.			390
			Esto, que había de humillarme,
con tal violencia me altera,
que desta vida grosera
me ha forzado a desterrarme;
			y que a buscar me desmande			395
lo que mi estrella destina,
que a cosas grandes me inclina
y algún bien me aguarda grande;
			que, si tan pobre nací
como el hado me crió,			400
cuanto más me hiciere yo,
más vendré a deberme a mí.
			Si quieres participar
de mis males o mis bienes,
buena ocasión, Tarso, tienes;			405
déjame de aconsejar.
			y determínate [26] luego.
TARSO.		Para mí bástame el verte,
Mireno, de aquesa suerte,
ni te aconsejo ni ruego;			410
			discreto eres; estodiado
has con el cura; yo quiero
seguirte, aunque considero
de Lauro el nuevo cuidado.
MIRENO.		Tarso: si dichoso soy,			415

_____
[26] _determínate,_ 'decídete'.

	yo espero en Dios de trocar	
	en contento su pesar.	
TARSO.	¿Cuándo has de irte?	
MIRENO.	Luego.	
TARSO.	¿Hoy?	
MIRENO.	Al punto.	
TARSO.	Y, ¿con qué dinero?	
MIRENO.	De dos bueyes que vendí	420

<pre>
            lo que basta llevo aquí.
            Vamos derechos a Avero,
               y compraréte una espada
               y un sombrero.
TARSO.   ¡Plegue a Dios
            que no volvamos los dos.   425
            como perro con pedrada!   (Vanse.)
</pre>

[Otro punto del bosque.]

(Salen RUY LORENZO *y* VASCO, *lacayo.)*

VASCO.   Señor: vuélvete al bosque, pues conoces
            que apenas estaremos aquí una hora
            cuando las postas nos darán alcance;
            y los villanos destas caserías,   430
            que nos buscan cual galgos a las liebres,
            si nos cogen, harán la remembranza[27]
            de Cristo y su prisión hoy con nosotros;
            y quedaremos, por nuestros pecados,
            en vez de remembrados, desmembrados.   435
RUY.   Ya, Vasco, es imposible que la vida
            podamos conservar; pues cuando el cielo
            nos librase de tantos que nos buscan,
            el hambre vil, que con infames armas
            debilita las fuerzas más robustas,   440
            nos tiene de entregar al duque fiero.
VASCO.   Para el hambre y sus armas no hay acero.
RUY.   Por vengar la deshonra de mi hermana,
            que el conde de Estremoz tiene usurpada,
            su firma en una carta contrahice;   445
            y, saliéndome inútil esta traza,

---

[27] *harán la remembranza / de Cristo,* es decir, los castigarán.

	busqué quien con su muerte me vengase;	
	mas nada se le cumple al desdichado,	
	y, pues lo soy, acabe con la vida,	
	que no es bien muera de hambre habiendo	450
	[espada.	
VASCO.	¿Es posible que un hombre que se tiene	
	por hombre, como tú, hecho y derecho,	
	quisiese averiguar por tales medios	
	si fue forzada u no tu hermana? Dime:	
	¿piensas de veras que en el mundo ha	455
	mujer forzada? [habido	
RUY.	¿Agora dudas de eso?	
	¿No están llenos los libros, las historias	
	y las pinturas de violentos raptos	
	y forzosos estupros, que no cuento?	
VASCO.	Riyérame a no ver que aquesta noche	460
	los dos habemos de cenar con Cristo [28],	
	aunque hacer colación me contentara	
	en el mundo, y a oscuras me acostara.	
	Ven acá: si Leonela no quisiera	
	dejar coger las uvas de su viña,	465
	¿no se pudiera hacer toda un ovillo,	
	como hace el erizo, y a puñadas,	
	aruños, coces, gritos, y a bocados,	
	dejar burlado a quien su honor maltrata,	
	en pie su fama y el melón sin cata?	470
	Defiéndese una yegua en medio un campo	
	de toda una caterva de rocines,	
	sin poderse quejar «¡Aquí del cielo,	
	que me quitan mi honra!», como puede	
	una mujer honrada en aquel trance;	475
	escápase una gata como el puño	
	de un gato zurdo y otro carirromo	
	por los caramanchones y tejados	
	con sólo decir *miao* y echar un fufo;	
	y ¿quieren estas daifas persuadirnos	480
	que no pueden guardar sus pertenencias	
	de peligros nocturnos? Yo aseguro,	

---

[28] Vasco prefiere hacer colación que no cenar con Cristo, lo cual quería decir la muerte.

si como echa a galeras la justicia
los forzados, echara las forzadas,
que hubiera menos y ésas más honradas.   485

(*Salen* TARSO y MIRENO.)

TARSO.   Jurómela Melisa: ¡lindo cuento
      será el ver que la he dado cantonada! [29].
MIRENO. Mal pagaste su amor.
TARSO.   Dala a Pilatos,
      que es más mudable que hato de gitanos:
      más arrequives tienen sus amores   490
      que todo un canto de órgano; no quiero
      sino seguirte a ti por mar y tierra,
      y trocar los amores por la guerra.
RUY.   Gente suena.
VASCO.   Es verdad; y aun en mis calzas
      se han sonado de miedo las narices [30]   495
      del rostro circular, romadizadas.
RUY.   Perdidos somos.
VASCO.   ¡Santos estrellados!
      Doleos de quien de miedo está en tortilla;
      y, si hay algún devoto de lacayos,
      sáqueme de este aprieto, y yo le juro   500
      de colgalle mis calzas a la puerta
      de su templo, en lavándolas diez veces
      y limpiando la cera de sus barrios;
      que, aunque las enceró mi pena fiera,
      no es buena para ofrendas esta cera.   505
RUY.   Sosiégate; que solos dos villanos,
      sin armas defensivas ni ofensivas,
      poco mal han de hacernos.
VASCO.   ¡Plegue al cielo!
RUY.   Cuanto y más, que el venir tan descuidados
      nos asegura de lo que tememos.   510
VASCO. ¡Ciégalos, San Antonio!
RUY.   Calla; lleguemos.
      ¿Adónde bueno, amigos?

---

[29] Tarso está contento de haberle dado esquinazo a Melisa.
[30] Chiste escatológico y grosero basado en los distintos sentidos
de las palabras sonar, y sonarse; estrellados, tortilla y cera.

MIRENO.	¡Oh, señores!
	A la villa, a comprar algunas cosas
	que el hombre ha menester. ¿Está allá el
RUY.	Allá quedaba. [duque?
MIRENO.	Dele vida el cielo. 515
	Y vosotros, ¿do bueno? Que esta senda
	se aparta del camino real y guía
	a unas caserías que se muestran
	al pie de aquella sierra.
RUY.	Tus palabras
	declaran tu bondad, pastor amigo. 520
	Por vengar la deshonra de una hermana
	intenté dar la muerte a un poderoso;
	y, sabiendo mi honrado atrevimiento,
	el duque manda que me siga y prenda
	sù gente por aquestos despoblados; 525
	y, ya desesperado de librarme,
	salgo al camino. Quíteme la vida,
	de tantos, por honrada, perseguida.
MIRENO.	Lástima me habéis hecho; y ¡vive el cielo!
	que, si como la suerte avara me hizo 530
	un pastor pobre, más valor me diera,
	por mi cuenta tomara vuestro agravio.
	Lo que se puede hacer, de mi consejo,
	es que los dos troquéis esos vestidos
	por aquestos groseros; y encubiertos 535
	os libraréis mejor, hasta que el cielo
	a daros su favor, señor, comience;
	porque la industria los trabajos vence.
RUY.	¡Oh, noble pecho, que entre paños bastos
	descubre el valor mayor que he visto! 540
	Páguete el cielo, pues que yo no puedo,
	ese favor.
MIRENO.	La diligencia importa:
	entremos en lo espeso. Y trocaremos
	el traje.
RUY.	Vamos. ¡Venturoso he sido!

(Vanse los dos.)

| TARSO. | Y ¿habéis también de darme por mi sayo 545 |

	esas abigarradas [31], con más cosas
	que un menudo de vaca?
VASCO.	Aunque me pese.
TARSO.	Pues dos liciones me daréis primero,

Tarso. Pues dos liciones me daréis primero,
porque con ellas pueda hallar el tino,
entradas y salidas de esa Troya;   550
que, pardiez, que aunque el cura sabe tanto,
que canta un *parce mihi* [32] por do quiere,
no me supo vestir el día del Corpus
para her [33] el rey David.

Vasco.   Vamos; que presto
os la[s] sabréis poner.

Tarso.   Como hay maestros 555
que enseñan a leer a los muchachos,
¿no pudieran poner en cada villa
maestros con salarios, y con pagas,
que mos [34] dieran lición de calzar bragas?

                                              (Vanse.)

(Salen DORISTO, *alcalde;* LARISO *y* DENIO, *pastores.)*

Dorist.   Ya los vestidos y señas   560
del amo y criado sé;
callad, que yo os los pondré,
Lariso, cual digan dueñas [35].

Lariso.   ¿Que quiso matar al conde?
¡Verá el bellaco!

Dorist.   Par Dios,   565
que si los cojo a los dos,
y el diabro [36] no los esconde,

---

[31] Sátira del vestido cortesano. Abigarradas calzas de colores.
[32] *parce mihi*, 'perdóname'. Parce (del latín parce), segunda persona del singular del imperativo de parecere, perdonar. Primera palabra de la primera de las lecciones de Job, que se cantan en el oficio de difuntos y designa esta oración ritual.
[33] *her*, 'hacer'.
[34] *mos*, 'nos'.
[35] *cual digan dueñas,* es frase para indicar algo que queda malparado, como aquello de que se ocupan las dueñas en su chismería (F. A.).
[36] *diabro*, 'diablo' (y puebro, 'pueblo', v. 594; habrad, 'hablad', en 741).

	que he de llevarlos a Avero	
	con cepo y grillos.	
DENIO.	¡Verá! [37]	
	¿Qué bestia los llevará	570
	en el cepo?	
DORIST.	Regidero:	
	no os metáis en eso vos;	
	que no empuño yo de balde	
	el palillo. ¿No so [38] alcalde?	
	Pues yo os juro, a non de Dios,	575
	que ha de her lo que publico;	
	y que los ha de llevar	
	con el cepo hasta el lugar	
	de Avero vueso borrico.	
LARISO.	Busquémoslos; que después	580
	quillotraremos [39] el modo	
	con que han de ir.	
DORIST.	El monte todo	
	está cercado; por pies	
	no se irán.	
DENIO.	Amo y lacayo	
	han de estar aquí escondidos.	585
LARISO.	Las señas de los vestidos,	
	sombreros, capas y sayo	
	del mozo en la cholla [40] llevo.	
DORIST.	Si los prendemos, por paga	
	diré al duque que mos haga,	590
	par del olmo, un rollo nuevo [41].	
LARISO.	Hombre sois de gran meollo,	
	si rollo en el puebro [42] hacéis.	
DORIST.	El será tal que os honréis	
	que os digan: «Váyase al rollo.» *(Vanse.)* 595	

(*Salen* RUY LORENZO, *de pastor, y* MIRENO, *de galán*.)

---

[37] *¡Verá!*, exclamación rústica, comp. v. 991.
[38] *so*, 'soy'.
[39] *quillotraremos*, 'pensaremos'.
[40] *cholla*, 'cabeza'.
[41] *par de*, 'al lado de'; *rollo*, piedra que simboliza la autoridad de la justicia en hacer ejecuciones.
[42] *puebro*, 'pueblo'.

RUY.   De tal manera te asienta
el cortesano vestido,
que me hubiera persuadido
a que eras hombre de cuenta,
    a no haber visto primero   600
que ocultaba la belleza
de los miembros la bajeza
de aqueste traje grosero.
    Cuando se viste el villano   605
las galas del traje noble,
parece imagen de roble
que ni mueve pie ni mano;
    ni hay quien persuadirse pueda
sino que es, como sospech[a],
pared que, de adobes hecha,   610
la cubre un tapiz de seda.
    Pero cuando en ti contemplo
el desenfado con que andas
y el donaire con que mandas
ese vestido, otro ejemplo   615
hallo en ti más natural,
que vuelve por tu decoro,
llamándote imagen de oro,
con la funda de sayal.
    Alguna nobleza infiero   620
que hay en ti; pues te prometo[43]
que te he cobrado el respeto
que al mismo duque de Avero.
    ¡Hágate el cielo como él!

MIRENO.   Y a ti, con sosiego y paz,   625
te vuelva sin el disfraz,
a tu estado; y fuera dél,
    con paciencia vencerás
de la fortuna el ultraje.
Si te ve en aquese traje   630
mi padre, en él hallarás
    nuevo amparo; en él te fía,
y dile que me destierra

---

[43] *prometo,* 'aseguro'.

	mi inclinación a la guerra;	
	que espero en Dios que algún día	635
	buena vejez le he de dar.	
RUY.	Adiós, gallardo mancebo;	
	la espada sola me llevo,	
	para poder evitar,	
	si me conocen, mi ofensa.	640
MIRENO.	Haces bien; anda con Dios,	
	que hasta la villa los dos,	
	aunque vamos sin defensa,	
	no tenemos qué temer;	
	y allá espadas compraremos.	645

(Sale VASCO, *de pastor.)*

VASCO.	Vámonos de aquí. ¿Qué hacemos?,	
	que ya me quisiera ver	
	cien leguas deste lugar.	
MIRENO.	¿Y Tarso?	
VASCO.	Allí desenreda	
	las calzas, que agora queda	650
	comenzándose a atacar [44],	
	muy enojado conmigo	
	porque me llevo la espada,	
	sin la cual no valgo nada.	
MIRENO.	La tardanza os daña.	
RUY.	Amigo,	655
	adiós.	
VASCO.	No está malo el sayo.	
RUY.	Jamás borrará el olvido	
	este favor.	
VASCO.	Embutido	
	va en un pastor un lacayo. *(Vanse.)*	
MIRENO.	Del castizo caballo descuidado,	660
	el hambre y apetito satisface	
	la verde hierba que en el campo nace,	
	el freno duro del arzón colgado;	
	mas luego que el jaez de oro esmaltado	
	le pone el dueño cuando fiestas hace,	665

---

[44] *atacar,* 'atarse'.

argenta espumas, céspedes deshace,
con el pretal sonoro alborotado.

    Del mismo modo entre la encina y roble,
criado con el rústico lenguaje
y vistiendo sayal tosco, he vivido;   670
    mas despertó mi pensamiento noble,
como al caballo, el cortesano traje:
que aumenta la soberbia el buen vestido.

        (*Sale* TARSO, *de lacayo.*)

TARSO.   ¿No ves las devanaderas
que me han forzado a traer?   675
Yo no acabo de entender
tan intrincadas quimeras.
    ¿No notas la confusión
de calles y encrucijadas?
¿Has visto más rebanadas,   680
sin ser mis calzas melón?
    ¿Qué astrólogo tuvo esfera,
di, menos inteligible,
que ha un hora que no es posible
topar con la faltriquera?   685
    ¡Válgame Dios! ¡El juicio
que tendría el inventor
de tan confusa labor
y enmarañado edificio!
    ¡Qué ingenio! ¡Qué entendimiento!   690

MIRENO.   Basta, Tarso.

TARSO.   No te asombre;
que ésta no ha sido obra de hombre.

MIRENO.   Pues ¿de qué?

TARSO.   De encantamiento;
obra es digna de un Merlín,
porque en estos astrolabios [45]   695
aun no hallarán los más sabios
ningún principio ni fin.
    Pero, ya que enlacayado
estoy, y tú caballero,

---

[45] *astrolabio,* 'enredo'.

	¿qué hemos de hacer?	
MIRENO.	Ir a Avero,	700

que este traje ha levantado
mi pensamiento de modo
que a nuevos intentos vuelo.

TARSO.   Tú querrás subir al cielo,
y daremos en el lodo. 705
Mas, pues eres ya otro hombre,
por si acaso adonde fueres
caballero hacerte quieres,
¿no es bien que mudes el nombre?
Que el de Mireno no es bueno 710
para nombre de señor.

MIRENO.   Dices bien: no soy pastor,
ni he de llamarme Mireno.
Don Dionís en Portugal
es nombre ilustre y de fama; 715
don Dionís desde hoy me llama.

TARSO.   No lo has escogido mal;
que los reyes que ha tenido
de ese nombre esta nación,
eterna veneración 720
ganaron a su apellido.
Estremado es el ensayo;
pero, ya que así te ensalzas,
dame un nombre que a estas calzas
les venga bien, de lacayo; 725
que ya el de Tarso me quito.

MIRENO.   Escógele tú.

TARSO.   Yo escojo,
si no lo tienes a enojo...
¿No es bueno...?

MIRENO.   ¿Cuál?

TARSO.   Gómez Brito.
¿Qué te parece?

MIRENO.   Estremado. 730

TARSO.   ¡Gentiles cascos, por Dios!
Sin ser obispos, los dos
mos habemos confirmado.

DORIST.	¡Válganos el dimunio, amén!	
	¿Que nos los hemos de hallar?	735
LARISO.	Si no es que saben volar,	
	imposible es que no estén	
	entre estas matas y peñas.	
DENIO.	Busquémoslos por lo raso.	
LARISO.	¿No so[n] éstos?	
DORIST.	Habrad paso [46].	740
LARISO.	Par Dios, conforme las señas,	
	que son los propios.	
DORIST.	Atalde	
	los brazos, pues veis que están	
	sin armas.	
DENIO.	Rendíos, galán.	
LARISO.	Tené al rey.	
DORIST.	Tené al alcalde.	745

(*Por detrás los cogen y atan.*)

MIRENO.	¿Qué es esto?	
TARSO.	¿Estáis en vosotros?	
	¿Por qué nos prendéis?	
DORIST.	Por gatos [47].	
	¡Aho! ¿No veis qué mojigatos [48]	
	hablan? Sabéis ser quillotros [49]	
	para dar la muerte al conde,	750
	y ¿pescudaisnos [50] por qué	
	os prendemos?	
DENIO.	¡Bueno, a fe!	
TARSO.	¿Qué conde, o qué muerte? ¿Adónde	
	mos habéis visto otra vez?	
DORIST.	Allá os lo dirá el verdugo,	755
	cuando os cuelgue cual besugo	
	de las agallas y nuez.	

---

[46] *habrad paso,* 'hablad en voz baja'.
[47] *gatos,* 'ladrones'.
[48] *mojigatos,* 'hipócritas'.
[49] *quillotros,* 'privados'.
[50] *pescudáisnos,* 'nos preguntáis'.

MIRENO.	A no llevarme la espada,
	ya os fuerais arrepentidos.
TARSO.	El trueco de los vestidos 760
	mos ha dado esta gatada.
	¡Ah, mi señor don Dionís!
	¿Es aquesta la ganancia
	de la guerra? ¿Qué ignorancia
	te engañó?
DORIST.	¿Qué barbullís? [51] 765
TARSO.	Tarso quiero ser, no Brito;
	ganadero, no lacayo;
	por bragas quiero mi sayo;
	las ollas lloro de Egipto [52].
LARISO.	¿Quieres callar, bellacón? 770
	Darle de puñadas quiero.
DORIST.	Alto, a Avero.
MIRENO.	Pues a Avero
	nos llevan, ten corazón;
	que, cuando el duque nos vea,
	caerán éstos en su engaño 775
	sin que nos mande hacer daño.
DORIST.	Rollo tendrá muesa aldea.
DENIO.	Cuando bajo el olmo le hagas,
	en él haremos concejo.
TARSO.	Yo de ninguno me quejo, 780
	sí de estas malditas bragas.
	¿Quién ha visto tal ensayo?
MIRENO.	¿Qué temes, necio? ¿Qué dudas? [53]
TARSO.	Si me cuelgan y hago un Judas,
	sin haber Judas lacayo, 785
	¿no he de llorar y temer?
	Hoy me cuelgan del cogollo.
DORIST.	En la picota del rollo
	un reloj he de poner.
	Vamos.
LARISO.	Bien el puebro ensalzas. 790

---

[51] *barbullir,* 'barbullar'.
[52] *las ollas de Egipto,* 'vida regalona que se tuvo en otro tiempo
Comp. Éxodo, 16:3 (A. C.).
[53] *dudas,* 'temes'.

64

TARSO.	Si te quieres escapar
	do no te puedan hallar,
	métete dentro en mis calzas. *(Vanse.)*

[*Salón en el palacio del* DUQUE DE AVERO.]

(*Salen* DOÑA JUANA *y* DON ANTONIO, *de camino* [54].)

JUANA.	¡Primo don Antonio!	
ANTON.	Paso,	
	no me nombréis; que no quiero	795
	hagáis de mí tanto caso	
	que me conozca en Avero	
	el duque. A Galicia paso,	
	donde el rey don Juan me llama	
	de Castilla; que me ama	800
	y hace merced; y deseo,	
	a costa de algún rodeo,	
	saber si miente la fama	
	que ofrece el lugar primero	
	de la hermosura de España	805
	a las hijas del de Avero,	
	o si la fama se engaña	
	y miente el vulgo ligero.	
JUANA.	Bien hay que estimar y ver;	
	pero no habéis de querer	810
	que así tan despacio os goce.	
ANTON.	Si el de Avero me conoce,	
	y me obliga a detener,	
	caer en falta recelo	
	con el rey.	
JUANA.	Pues si eso pasa,	815
	de mi gusto al vuestro apelo;	
	mas, si sabe que en su casa	
	don Antonio de Barcelo,	
	conde de Penela, ha estado,	
	y que encubierto ha pasado,	820
	cuando le pudo servir	
	en ella, halo de sentir	
	con exceso; que en su estado	

---

[54] *de camino,* 'es traje de camino que era de color' (A. C.).

	jamás llegó caballero	
	que por inviolables leyes	825
	no le hospede.	
ANTON.	Así lo infiero;	

que es nieto, en fin, de los reyes
de Portugal el de Avero.

    Pero, dejando esto, prima:
¿tan notable es la beldad   830
que en sus dos hijas sublima
el mundo?

JUANA.   ¿Es curiosidad,
o el alma acaso os lastima
el ciego? [55]

ANTON.   Mal sus centellas
me pueden causar querellas   835
si de su vista no gozo;
curiosidades de mozo
a Avero me traen a vellas.

    ¿Cómo tengo de querer
lo que no he llegado a ver?   840

JUANA.   De que eso digáis me pesa:
nuestra nación portuguesa
esta ventaja ha de hacer

    a todas; que porque asista
aquí amor, que es su interés,   845
ha de amar, en su conquista,
de oídas el portugués,
y el castellano, de vista.

    Las hijas del duque son
dignas de que su alabanza   850
celebre nuestra nación.
La mayor, a quien Berganza [56]
y su duque, con razón,

    pienso que intenta entregar
al conde de Vasconcelos,   855
su heredero, puede dar

---

[55] *el ciego,* 'el dios Cupido'.
[56] *Berganza,* Braganza, ducado desde 1442 y cuna de la última
dinastía que comenzó a reinar en 1640.

| | otra vez a Clicie[57] celos, | |
| | si el sol la sale a mirar. | |

	Pues de doña Serafina,	
	hermana suya, es divina	860
	la hermosura.	
ANTON.	Y, de las dos,	
	¿a cuál juzgáis, prima, vos	
	por más bella?	
JUANA.	Más se inclina	
	mi afición a la mayor,	
	aunque mi opinión refuta	865
	en parte el vulgo hablador;	
	mas en gustos no hay disputa,	
	y más en cosas de amor.	

	En dos bandos se reparte	
	Avero, y por cualquier parte	870
	hay bien que alegar.	
ANTON.	¿Aquí	
	hay algún título?	
JUANA.	Sí,	
	don Francisco y don Duarte.	
ANTON.	Y ¿qué hacen?	
JUANA.	Más de un curioso	
	dice que pretende ser	875
	cada cual de la una esposo.	
ANTON.	Prima: yo las he de ver	
	esta tarde; que es forzoso	
	irme luego.	
JUANA.	Yo os pondré	
	donde su hermosura os dé,	880
	podrá ser, más de una pena.	
ANTON.	¿Serafina o Madalena?	
JUANA.	Bellas son las dos; no sé.	

---

[57] *Clicie,* ninfa, hija del Océano y de Tetis. Enamorada del Sol, los celos la atormentan cuando éste la olvida por Leucotoe. Aunque Clicie obtiene el castigo de su rival, su abandono la hace enflaquecer hasta quedar convertida en un tallo incoloro que, unido a la tierra, sigue con su cabeza el giro del sol (está simbolizada en el girasol) (A. C.).

                    Pero el duque sale aquí
                    con ellas; ponte a esta parte.   885

(*Salen el* DUQUE, *el* CONDE, SERAFINA *y* DOÑA MADALENA.)

DUQUE.   (*Aparte al conde.*) Digo, conde don Duarte,
                    que todo se cumpla así.
CONDE.   Pues el rey, nuestro señor,
                    favorece la privanza
                    del hijo del de Berganza,   890
                    y a vuestra hija mayor
                        os pide para su esposa,
                    escriba vuestra excelencia
                    que, con su gusto y licencia,
                    doña Serafina hermosa   895
                        lo será mía.
DUQUE.   Está bien.
CONDE.   Pienso que su majestad
                    me mira con voluntad,
                    y que lo tendrán por bien;
                        yo y todo [58] le escribiré.   900
DUQUE.   No lo sepa Serafina
                    hasta ver si determina
                    el rey que la mano os dé;
                        que es muchacha; y descuidada,
                    aunque portuguesa, vive   905
                    de que tan presto cautive
                    su libertad la·lazada
                        o nudo del matrimonio.
JUANA.   (*Aparte.*) Presto os habéis divertido.
                    Decid: ¿qué os han parecido   910
                    las hermanas, don Antonio?
ANTON.   No sé el alma a cuál se inclina,
                    ni sé lo que hacer ordena:
                    bella es doña Madalena,
                    pero doña Serafina   915
                        es el sol de Portugal.
                    Por la vista el alma bebe
                    llamas de amor entre nieve.

---

[58] *y todo*, 'también' (A. C.).

68

	por el vaso de cristal	
	de su divina blancura:	920
	la fama ha quedado corta	
	en su alabanza.	
DUQUE.	Esto importa.	
ANTON.	Fénix es de la hermosura.	
DUQUE.	Llegaos, Madalena, aquí.	
CONDE.	Pues me da el duque lugar,	925
	mi serafín, quiero hablar,	
	si hay atrevimiento en mí	
	para que vuele tan alto	
	que a serafines me iguale.	
ANTON.	Prima: a ver el alma sale	930
	por los ojos el asalto	
	que amor le da poco a poco;	
	ganárame si me pierdo.	
JUANA.	Vos entraste, primo, cuerdo,	
	y pienso que saldréis loco.	935
DUQUE.	Hija: el rey te honra y estima;	
	cuán bien te está considera.	
MADAL.	Mi voluntad es de cera;	
	vuexcelencia en ella imprima	
	el sello que más le cuadre,	940
	porque en mí sólo ha de haber	
	callar con obedecer.	
DUQUE.	¡Mil veces dichoso padre	
	que oye tal!	
CONDE.	(A DOÑA SERAFINA.) Las dichas mías,	
	como han subido al estremo	945
	de su bien, que caigan temo.	
SERAF.	Conde: esas filosofías,	
	ni las entiendo, ni son	
	de mi gusto.	
CONDE.	Un serafín	
	bien puede alcanzar el fin	950
	y el alma de una razón.	
	No, digáis que no entendéis,	
	serafín, lo que alcanzáis.	
SERAF.	¡Jesús, qué dello [50] que habláis!	

---

[59] *qué dello* 'cuánto'.

CONDE.	Si soy hombre, ¿qué queréis?	955
	Por palabras los intentos	
	quiere que expliquemos Dios;	
	que, a ser serafín cual vos,	
	con solos los pensamientos	
	nos habláramos.	960
SERAF.	¿Qué amor	
	habla tanto?	
CONDE.	¿No ha de hablar?	
SERAF.	No; que hay poco que fiar	
	de un niño [60], y más, hablador.	
CONDE.	En todo os hizo perfecta	
	el cielo con mano franca.	965
ANTON.	Prima: para ser tan blanca,	
	notablemente es discreta.	
	¡Qué agudamente responde!	
	Ya han esmaltado los cielos	
	el oro de amor con celos:	970
	mucho me enfada este conde.	
JUANA.	¡Pobre de vuestra esperanza	
	si tal contrario la asalta!	
DUQUE.	Un secretario me falta	
	de quien hacer confianza;	975
	y, aunque esta plaza pretenden	
	muchos por diversos modos	
	de favores, entre todos,	
	pocos este oficio entienden.	
	Trabajo me ha de costar	980
	en tal tiempo estar sin él.	
MADAL.	A ser el pasado fiel,	
	era ingenio singular.	
DUQUE.	Sí; mas puso en contingencia	
	mi vida y reputación.	985

(*Salen los* PASTORES *y traen presos a* MIRENO *y* TARSO.)

DORIST.	Ande apriesa el bellacón.	
LARISO.	Aquí está el duque.	
TARSO.	Paciencia	

---

[60] *niño*, 'Cupido'.

	me dé Herodes.	
DENIO.	¡Aho! Llegá,	
	pues sois alcalde, y habralde.	
DORIST.	Buen viejo: yo so el alcalde,	990
	y vos el duque.	
LARISO.	¡Verá!	
	Llegaos más cerca.	
DORIST.	Y sopimos	
	yo, el herrero y su mujer	
	que mandábades prender	
	estos bellacos, y fuimos	995
	Bras Llorente y Gil Bragado...	
TARSO.	Aquese yo lo seré,	
	pues por mi mal me embragué [61].	
DORIST.	Y después de haber llamado	
	a concejo el regidero	1000
	Pero Mínguez... Llegá acá,	
	que no sois bestia, y habrá [62];	
	decid lo demás.	
LARISO.	No quiero:	
	decildo vos.	
DORIST.	No estodié	
	sino hasta aquí; en concrusión:	1005
	éstos los ladrones son,	
	que por sólo heros [63] mercé	
	prendimos yo y Gil Mingollo:	
	haga lo que el puebro pide	
	su duquencia [64], y no se olvide	1010
	lo que le dije del rollo.	
DUQUE.	¡Hay mayor simplicidad!	
	Ni he entendido a lo que vienen,	
	ni por qué delito tienen	
	así estos hombres. Soltad	1015
	los presos; y decid vos	
	qué insulto habéis cometido	

[61] *embragarse,* 'haberse metido en las calzas'.

[62] *habrá,* 'hablad'.

[63] *heros,* 'haceros'.

[64] *duquencia,* título ridículo inventado por el rústico calcado en excelencia.

	para que os hayan traído	
	de aquesa suerte a los dos.	
MIRENO.	(De rodillas.) Si lo es el favorecer,	1020
	gran señor, a un desdichado,	
	perseguido y acosado	
	de tus gentes y poder,	
	y juzgas por temerario	
	haber trocado el vestido	1025
	por dalle vida, yo he sido.	
DUQUE.	¿Tú libraste al secretario?	
	Pero sí; que aquese traje	
	era suyo; di, traidor,	
	¿por qué le diste favor?	1030
MIRENO.	Vueselencia no me ultraje,	
	ni ese título me dé;	
	que no estoy acostumbrado	
	a verme así despreciado.	
DUQUE.	¿Quién eres?	
MIRENO.	No soy; seré;	1035
	que sólo por pretender	
	ser más de lo que hay en mí	
	menosprecié lo que fui	
	por lo que tengo de ser.	
DUQUE.	No te entiendo.	
MADAL.	(Aparte.) ¡Estraña audacia	1040
	de hombre! El poco temor	
	que muestra dice el valor	
	que encubre. De su desgracia	
	me pesa.	
DUQUE.	Di: ¿conocías	
	al traidor que ayuda diste?	1045
	Mas, pues por él te pusiste	
	en tal riesgo, bien sabías	
	quién era.	
MIRENO.	Supe que quiso	
	dar muerte a quien deshonró	
	su hermana, y después te dio	1050
	de su honrado intento aviso;	
	y, enviándole a prender,	
	le libré de ti, espantado	

	por ver que el que está agraviado	
	persigas; debiendo ser	1055
	favorecido por ti,	
	por ayudar al que ha puesto	
	en riesgo su honor.	
CONDE.	(*Aparte.*) ¿Qué es esto?	
	¿Ya anda derramada así	
	la injuria que hice a Leonela?	1060
DUQUE.	¿Sabes tú quién la afrentó?	
MIRENO.	Supiéralo, señor, yo;	
	que, a sabello…	
DUQUE.	Fue cautela	
	del traidor para engañarte;	
	tú sabes adónde está,	1065
	y así forzoso será,	
	si es que pretendes librarte,	
	decillo.	
MIRENO.	¡Bueno sería,	
	cuando adonde está supiera,	
	que un hombre como yo hiciera,	1070
	por temor, tal villanía!	
DUQUE.	¿Villanía es descubrir	
	un traidor? Llevadle preso;	
	que si no ha perdido el seso	
	y menosprecia el vivir,	1075
	él dirá dónde se esconde.	
MADAL.	(*Aparte.*) Ya deseo de liballe,	
	que no merece su talle	
	tal agravio.	
DUQUE.	Intento, conde,	
	vengaros.	
CONDE.	Él lo dirá.	1080
TARSO.	(*Aparte.*) ¡Muy gentil ganancia espero!	
DUQUE.	Vamos; que responder quiero	
	al rey.	
TARSO.	(*Aparte.*) ¡Medrándose va,	
	con la mudanza de estado,	
	y nombre de don Dionís!	1085
DUQUE.	Viviréis si lo decís.	
MIRENO.	(*Aparte.*) La fortuna ha comenzado	

	a ayudarme; ánimo ten.	
	porque en ella es natural,	
	cuando comienza por mal,	1090
	venir a acabar en bien.	
TARSO.	Bragas, si una vez os dejo,	
	nunca más transformación.	

(*Llévanlos presos.*)

DUQUE.	Meted una petición	
	vosotros en mi consejo	1095
	de lo que queréis; que allí	
	se os pagará este servicio.	
DORIST.	Vos, que tenéis buen juicio,	
	la peticionad.	
LARISO.	Sea así,	
DORIST.	Señor: por este cuidado	1100
	haga un rollo en mi lugar,	
	tal que se pueda ahorcar	
	en él cualquier hombre honrado.	

(*Vanse los* PASTORES, *el* DUQUE *y el* CONDE.)
quedan los demás.)

MADAL.	Mucho, doña Serafina,	
	me pesa ver llevar preso	1105
	aquel hombre.	
SERAF.	Yo confieso	
	que a rogar por él me inclina	
	su buen talle.	
MADAL.	¿Eso desea	
	tu afición? ¿Ya es bueno el talle?	
	Pues no tienes de librarle	1110
	aunque lo intentes.	
SERAF.	No sea.	

(*Vanse* DOÑA SERAFINA *y* MADALENA.)

JUANA.	¿Habeisos de ir esta tarde?	
ANTON.	¡Ay, prima! ¿cómo podré,	
	si me perdí, si cegué,	
	si amor, valiente, cobarde,	1115
	todo el tesoro me gana	
	del alma y la voluntad?	

Sólo por ver su beldad
no he de irme hasta mañana.

JUANA.　　　　¡Bueno estáis! ¿Que amáis en fin?　　1120
ANTON.　　Sospecho, prima querida,
que de mi contento y vida
Serafina será fin.

FIN DEL ACTO PRIMERO

ACTO SEGUNDO

(*Sale* DOÑA MADALENA *sola.*)

MADAL. ¿Qué novedades son éstas,
altanero pensamiento?
¿Qué torres sin fundamento
tenéis en el aire puestas?
¿Cómo andáis tan descompuestas,   5
imaginaciones locas?
Siendo las causas tan pocas,
¿queréis exponer mis menguas
a juicio de las lenguas
y a la opinión de las bocas?   10
    Ayer guardaban los cielos
el mal de vuestra esperanza
con la tranquila bonanza
que agora inquietan desvelos.
Al conde de Vasconcelos,   15
o a mi padre di, en su nombre,
el sí; mas, porque me asombre,
sin que mi honor lo resista,
se entró al alma, a escala vista,
por la misma vista un hombre.   20
    Vióle en ella, y fuera exceso,
digno de culpa mi error,
a no saber que el amor
es niño, ciego y sin seso.
¿A un hombre extranjero y preso,   25

76

a mi pesar, corazón,
habéis de dar posesión?
¿Amar al conde no es justo?
Mas, ¡ay! que atropella el gusto
las leyes de la razón.   30

    Mas, pues, a mi instancia está
por mi padre libre y suelto,
mi pensamiento resuelto
bien remediarse podrá.
Forastero es; si se va,   35
con pequeña resistencia
podrá sanar la paciencia
el mal de mis desconciertos;
pues son médicos expertos
de amor el tiempo y la ausencia.   40

    Pero, ¿con qué rigor trazo
el remedio de mi vida?
Si puede sanar la herida,
crueldad es cortar el brazo.
Démosle a amor algún plazo,   45
pues su vista me provoca;
que, aunque es la efímera [65] loca,
ninguno al enfermo quita
el agua que no permita
siquiera enjaguar [66] la boca.   50

    Hacerle quiero llamar
—¡Ah, doña Juana!—Teneos,
desenfrenados deseos,
si no os queréis despeñar:
¿así vais a publicar   55
vuestra afrenta? La vergüenza
mi loco apetito venza;
que, si es locura admitillo
dentro del alma, el decillo
es locura o desvergüenza.   60

(*Sale* DOÑA JUANA.)

----

[65] *efímera*, según Covarrubias es «la calentura que se termina
en sólo un día».
[6] *enjaguar*, 'enjuagar'.

JUANA.	Aquel mancebo dispuesto
	que ha estado preso hasta agora
	y a tu intercesión, señora,
	ya en libertad está puesto,
	pretende hablarte.
MADAL.	(*Aparte.*) ¡Qué presto 65
	valerse el amor procura
	de la ocasión y ventura
	que ha de ponerse en efeto!
	Mas hace como discreto
	que amor todo es coyuntura. 70
	¿Sabes qué quiere?
JUANA.	Pretende
	al favor que ha recibido
	por ti, ser agradecido.
MADAL.	(*Aparte.*) Áspides en rosas vende.
JUANA.	¿Entrará?
MADAL.	(*Aparte.*) Si preso prende, 75
	si maltratado maltrata,
	si atado las manos ata
	las de mi gusto resuelto,
	¿qué ha de hacer presente y suelto
	quien ausente y preso mata? 80
	Dile que vuelva a la tarde;
	que agora ocupada estoy.
	Mas oye: no vuelva [67].
JUANA	Voy.
MADAL.	Escucha: di que se aguarde.
	Mas, váyase; que ya es tarde. 85
JUANA.	¿Hase de volver?
MADAL.	¿No digo
	que sí? Ve.
JUANA.	Tu gusto sigo.
MADAL.	Pero torna; no se queje.
JUANA.	Pues ¿qué diré?
MADAL.	Que me deje;
	(*Aparte.*) y que me lleve consigo. 90
	Anda; di que entre...

---

[67] *no vuelva,* 'dile que no vuelva'.

JUANA.	Voy, pues.	(*Vase.*)
MADAL.	Que, aunque venga a mi presencia,	

vencerá la resistencia
hoy del valor portugués.
El desear y ver es,   95
en la honrada y la no tal,
apetito natural;
y si diferencia se halla,
es en que la honrada calla
y la otra dice su mal.   100
    Callaré, pues que presumo
cubrir mi desasosiego,
si puede encubrirse el fuego,
sin manifestalle el humo.
Mas bien podré, si consumo   105
el tiempo a [68] palabras vanas;
pero las llamas tiranas
del amor, es cosa cierta
que, en cerrándolas la puerta,
se salen por las ventanas;   110
    cuando les cierren la boca,
por los ojos se saldrán;
mas no las conocerán,
callando la lengua loca;
que, si ella a amor no provoca.   115
    nunca amorosos despojos
dan atrevimiento a enojos
si no es en cosas pequeñas;
porque al fin hablan por señas
cuando hablan solos los ojos.   120

(*Sale* MIRENO, *galán, y dice de rodillas.*)

MIRENO.   Aunque ha sido atrevimiento
el venir a la presencia,
señora, de vuexcelencia
mi poco merecimiento,
    ser agradecido trato   125
al recebido favor;
porque el pecado mayor

---

[68] *a*, 'en'.

es el que hace un hombre ingrato.
 Por haber favorecido
de un desdichado la vida   130
—que al noble es deuda debida—
me vi preso y perseguido;
 pero en la misma moneda
me pagó el cielo, sin duda,
pues libre, con vuestra ayuda,   135
mi vida, señora, queda.
 ¿Libre dije? Mal he hablado;
que el noble, cuando recibe,
cautivo y esclavo vive,
que es lo mismo que obligado;   140
 y, ojalá mi vida fuera
tal que, si esclava quedara,
alguna parte pagara
desta merced, que ella hiciera
 excesos; pero, entre tantas[69]   145
que mi humildad envilecen
y como esclavos ofrecen
sus cuellos a vuestras plantas,
 a pagar con ella vengo
la mucha deuda en que estoy;   150
pues no os debo más si os doy,
gran señora, cuanto tengo.

MADAL. Levantaos del suelo.

MIRENO.   Así
estoy, gran señora, bien.

MADAL. Haced lo que os digo. (*Aparte.*) ¿Quien   155
me ciega el alma? ¡Ay de mí!
 ¿Sois portugués?

MIRENO. (*Levántase.*)   Imagino
que sí.

MADAL.   ¿Que lo imagináis?
¿Desa suerte incierto estáis
de quién sois?

MIRENO.   Mi padre vino   160
al lugar adonde habita,

---

[69] *tantas*, 'tantas vidas'.

y es de alguna hacienda dueño,
trayéndome muy pequeño;
mas su trato lo acredita.
    Yo creo que en Portugal   165
nacimos.

MADAL.   ¿Sois noble?

MIRENO.   Creo
que sí, según lo que veo
en mi honrado natural,
    que muestra más que hay en mí.

MADAL. Y ¿darán las obras vuestras,   170
si fuere menester, muestras
que sois noble?

MIRENO.   Creo que sí.
    Nunca de hacellas dejé.

MADAL. Creo, decís a cualquier punto.
    ¿Creéis, acaso, que os pregunto   175
artículos de la fe?

MIRENO.   Por la que debe guardar
a la merced recebida
de vuexcelencia mi vida,
bien los puede preguntar,   180
    que mi fe su gusto es.

MADAL. ¡Qué agradecido venís!
¿Cómo os llamáis?

MIRENO.   Don Dionís.

MADAL. Ya os tengo por portugués
y por hombre principal;   185
que en este reino no hay hombre
humilde de vuestro nombre,
porque es apellido real;
    y sólo el imaginaros
por noble y honrado ha sido   190
causa que haya intercedido
con mi padre a libertaros.

MIRENO. Deudor os soy de la vida.

MADAL. Pues bien: ya que libre estáis,
¿qué es lo que determináis   195
hacer de vuestra partida?
    ¿Dónde pensáis ir?

MIRENO.	Intento

MIRENO.   Intento
ir, señora, donde pueda
alcanzar fama que exceda
a mi altivo pensamiento;   200
   sólo aquesto me destierra
de mi patria.

MADAL.   ¿En qué lugar
pensáis que podéis hallar
esa ventura?

MIRENO.   En la guerra,
que el esfuerzo hace capaz   205
para el valor que procuro.

MADAL.   Y ¿no será más seguro
que la adquiráis en la paz?

MIRENO.   ¿De qué modo?

MADAL.   Bien podéis
granjealle si dais traza   210
que mi padre os dé la plaza
de secretario, que veis
   que está vaca [70] agora, a falta
de quien la pueda suplir.

MIRENO.   No nació para servir   215
mi inclinación, que es más alta.

MADAL.   Pues cuando volar presuma,
las plumas la han de ayudar.

MIRENO.   ¿Cómo he de poder volar
con solamente una pluma? [71]   220

MADAL.   Con las alas del favor;
que el vuelo de una privanza
mil imposibles alcanza.

MIRENO.   Del privar nace el temor,
   como muestra la experiencia;   225
y tener temor no es justo.

MADAL.   Don Dionís: este es mi gusto.

MIRENO.   ¿Gusto es de vuesa excelencia
   que sirva al duque? Pues, alto:
cúmplase, señora, ansí,   230

---

[70] *vaca,* 'vacante'.
[71] *una pluma,* es decir, como secretario.

que ya de un vuelo subí
al primer móvil [72] más alto.
        Pues, si en esto gusto os doy,
ya no hay que subir más arriba:
como el duque me reciba,   235
secretario suyo soy.
        Vos, señora, lo ordenad.

MADAL.   Deseo vuestro provecho,
y ansí lo que veis he hecho;
que, ya que os di libertad,   240
        pesárame que en la guerra
la malograrais; yo haré
cómo [73] esta plaza se os dé
por que estéis en nuestra tierra.

MIRENO.   Mil años el cielo guarde   245 ·
tal grandeza.

MADAL.   (*Aparte.*)   Honor: huir;
que revienta por salir,
por la boca, amor cobarde.   (*Vase.*)

MIRENO.   Pensamiento: ¿en qué entendéis?
Vos, que a las nubes subís,   250
decidme: ¿qué colegís
de lo que aquí visto habéis?
Declaraos, que bien podéis.
Decidme: tanto favor
¿nace de sólo el valor   255
que a quien es honra ennoblece,
o erraré si me parece
que ha entrado a la parte amor?
        ¡Jesús! ¡qué gran disparate!
Temerario atrevimiento   260
es el vuestro, pensamiento;
ni se imagine ni trate:
mi humildad el vuelo abate
con que sube el deseo vario;
mas, ¿por qué soy temerario   265
si imaginar me prometo

---

[72] En la concepción de Tolomeo, el primer móvil era la última
y más alta esfera del cielo.
[73] *cómo*, 'que'.

que me ama en lo secreto
quien me hace su secretario?
¿No estoy puesto en libertad
por ella? Y, ya sin enojos,   270
por el balcón de sus ojos,
¿no he visto su voluntad?
Amor me tiene.—Callad,
lengua loca; que es error
imaginar que el favor   275
que de su nobleza nace,
y generosa me hace,
está fundado en amor.
    Mas el desear saber
mi nombre, patria y nobleza,   280
¿no es amor? Esa es bajeza.
Pues alma, ¿qué puede ser?
Curiosidad de mujer.
Sí; mas ¿dijera, alma, advierte,
a ser eso desa suerte   285
sin reinar amor injusto:
«don Dionís, este es mi gusto»?
Este argumento, ¿no es fuerte?
    Mucho: pero mi bajeza
no se puede persuadir   290
que vuele y llegue a subir
al cielo de tal belleza;
pero ¿cuándo hubo flaqueza
en mi pecho? Esperar quiero;
que siempre el tiempo ligero   295
hace lo dudoso cierto;
pues mal vivirá encubierto
el tiempo, amor y dinero.

                 (*Sale* TARSO.)

TARSO.   Ya que como a Daniel [74]
               del lago, nos han sacado   300
               de la cárcel, donde he estado
               con menos paciencia que él;

---

[74] *Daniel,* el profeta bíblico. Véase Daniel 6:10-24.

siendo la ira del duque
nuestro profeta Habacú [75],
¿qué aguardas más aquí tú   305
a que el tiempo nos bazuque? [76]

¿Tanto bien nos hizo Avero,
que en él con tal sorna [77] estás?
Vámonos; pero dirás
que quieres ser caballero.   310

Y poco faltó, par Dios,
para ser en Portugal
caballeros a lo asnal;
pues que supimos los dos
que el duque mandado había   315
que, por las acostumbradas [78],
nos diesen las pespuntadas
orden de caballería.

MIRENO.   ¡Brito amigo!
TARSO.   No soy Brito,
sino Tarso.
MIRENO.   Escucha necio.   320
TARSO.   Estas calzas menosprecio,
que me estorban infinito.

Ya que en Brito me trasformas,
sácame de aquestos grillos;
que no fui yo por novillos [79]   325
para que me pongas cormas [80].
Quítamelas, y no quieras
que alguna vez güela mal.

---

[75] *Habacú*, Habacuc profetizó cómo los caldeos castigarían a
Judá.

[76] *bazucar*, 'revolver'.

[77] *sorna*, 'cachaza'.

[78] *acostumbras*, 'acostumbradas calles'; *pespuntadas*, es decir,
les administraban con las tiras de cuero cosidas a pespunte. En
broma se comparan a la ceremonia del espaldarazo empleada
cuando confieren la orden de caballería (caballeros a lo asnal).
(A. C.)

[79] *ir por novillos*. Dícese de los mozos que se amontan de
casa... irse a Córdoba, a las Andalucías. Por ironía [se dice] que
no sabrán granjear para traer novillos (A. C.).

[80] *cormas*, instrumento de madera que se echa al pie o pierna,
y le abrazan de suerte que no se le puede quitar el mismo (A. C.).

MIRENO.	¡Peregrino natural!
	¿Que nunca has de hablar de veras? 330
TARSO.	Ya hablo de veras.
MIRENO.	Digo que estás temerario.
TARSO.	Braguirroto [81] di que estoy.
	Pero ¿qué hay de nuevo?
MIRENO.	Soy,
	por lo menos [82], secretario 335
	del duque de Avero.
TARSO.	¿Cómo?
MIRENO.	La que nos dio libertad,
	desta liberalidad
	es la autora.
TARSO.	Mejor tomo
	tus cosas; ya estás en zancos [83]. 340
MIRENO.	Pues aún no lo sabes bien.
TARSO.	Darte quiero el parabién;
	y pues son los amos francos,
	si algún favor me has de hacer
	y mi descanso permites. 345
	lo primero es que me quites
	estas calzas, que sin ser
	presidente [84], en apretones,
	después que las he calzado,
	en ellas he despachado 350
	mil húmedas provisiones. (Vanse.)

(Salen DON ANTONIO y DOÑA JUANA.)

ANTON.	Prima, a quedarme aquí mi amor me obliga,
	aguarde el rey o no, que mi rey llamo
	sólo mi gusto, que el pesar mitiga
	que me ha de consumir, si ausente amo. 355
	Pájaro soy; sin ver de amor la liga,
	curiosamente me asenté en el ramo

---

[81] *braguirroto,* 'bragas rotas'.

[82] *por lo menos,* 'nada menos que

[83] *en zancos,* 'puesto en alto'.

[84] Tirso juega con el doble sentido de las palabras «despachar» y «provisiones». El presidente del consejo despacha las provisiones o decisiones.

de la hermosura, donde preso quedo:
volar pretendo; pero más me enredo.
　　El conde de Estremoz sirve y merece　360
a doña Serafina: yo he sabido
que el duque sus intentos favorece,
y hacerla esposa suya ha prometido:
quien no parece, dicen que perece;
si no parezco, pues, y ya ni olvido　　365
ni ausencia han de poder darme reposo,
¿qué he de esperar ausente y receloso?
　　Si mi adorado serafín supiera
quién soy, y con decírselo aguardara
recíprocos amores con que hiciera　　370
mi dicha cierta y mi esperanza clara,
más alegre y seguro me partiera,
y de su fe mi vida confiara;
si se puede fiar el que es prudente
de sol de enero y de mujer ausente.　　375
　　No me conoce y mi tormento ignora,
y así en quedarme mi remedio fundo;
que me parta después, o vaya agora
a la presencia de don Juan Segundo,
importa poco. Prima mía, señora,　　380
si no quieres que llore, y sepa el mundo
el lastimoso fin que ausente espero,
no me aconsejes el salir de Avero.

JUANA.　　Don Antonio: bien sabes lo que estimo
tu gusto, y que el amor que aquí te　　385
　　　　　　　　　　　　　　[enseño,
al deudo corresponde que de primo
nuestra sangre te debe, como a dueño;
si en que te quedes ves que te reprimo,
es por ser este pueblo tan pequeño
que has de dar nota [85] en él.

ANTON.　　　　　　　　　　Ya yo procuro　390
cómo sin que la dé, viva seguro.
　　Nunca me ha visto el duque, aunque me
　　　　　　　　　　　　　　[ha escrito;

---

[85] *dar nota*, 'hacerse notar'.

yo sé que busca un secretario esperto,
porque al pasado desterró un delito.

JUANA.　　Con risa[86] el medio que has buscado　395
　　　　　　　　　　　　　　　[advierto.

ANTON.　　¿No te parece, si en palacio habito
con este cargo, que podré encubierto
entablar mi esperanza, como acuda
el tiempo, la ocasión, y más tu ayuda?

JUANA.　　　La traza es estremada, aunque
　　　　　　　　　　　　　　　[indecente[87],　400
primo, a tu calidad.

ANTON.　　　　　　　　　　Cualquiera estado
es noble con amor. No esté yo ausente,
que con cualquiera oficio estaré honrado.

JUANA.　　Búsquese el modo, pues.

ANTON.　　　　　　　　　　　　El más urgente
está ya concluido.

JUANA.　　　　　　　¿Cómo?

ANTON.　　　　　　　　　　　He dado　405
un memorial al duque en que le pido
me dé esta plaza.

JUANA.　　　　　　　Diligente has sido;
mas, sin saberlo yo, culparte quiero.

ANTON.　　Del cuidadoso el venturoso nace;
hase encargado dél el camarero,　　410
de quien dicen que el duque caudal hace[88].

JUANA.　　Mucho priva con él.

ANTON.　　　　　　　　　Mi dicha espero
si el cielo a mis deseos satisface
y el camarero en la memoria tiene
esta promesa.

JUANA.　　　　　　Primo; el duque viene.　415

(*Salen el* DUQUE *y* FIGUEREDO, *su camarero.*)

DUQUE.　　Ya sabes que requiere aquese oficio
persona en quien concurran juntamente

---

[86] Juana se ríe de la traza de Antonio, la cual no es apropiada
a su calidad como noble.

[87] *indecente,* 'impropio'.

[88] *caudal hace,* 'le concede importancia, o hace caso'.

	calidad, discreción, presencia y pluma.	
FIGUER.	La calidad no sé; de esotras partes [89]	
	le puedo asegurar a vueselencia	420
	que no hay en Portugal quien conforme a ellas	
	mejor pueda ocupar aquesa plaza;	
	la letra, el memorial que vueselencia	
	tiene suyo podrá satisfacelle.	
DUQUE.	Alto: pues tú le abonas, quiero velle.	425
FIGUER.	Quiérole ir a llamar.—Pero delante	
	está de vueselencia. Llegá, hidalgo,	
	que el duque, mi señor, pretende veros.	
ANTON.	Deme los pies vueselencia.	
DUQUE.	Alzaos.	
	¿De dónde sois?	
ANTON.	Señor: nací en Lisboa.	430
DUQUE.	¿A quién habéis servido?	
ANTON.	Heme criado	
	con don Antonio de Barcelos, conde	
	de Penela, y os traigo cartas suyas,	
	en que mis pretensiones favorece.	
DUQUE.	Quiero yo mucho al conde don Antonio,	435
	aunque nunca le he visto. ¿Por qué causa	
	no me las habéis dado?	
ANTON.	No acostumbro	
	pretender por favores lo que puedo	
	por mi persona, y quise que me viese	
	primero vueselencia.	
DUQUE.	Camarero:	440
	su talle y buen estilo me ha agradado.	
	Mi secretario sois; cumplan las obras	
	lo mucho que promete esa presencia.	
ANTON.	Remítome, señor, a la experiencia.	
DUQUE.	Doña Juana: ¿qué hacen Serafina	445
	y Madalena?	
JUANA.	En el jardín agora	
	estaban las dos juntas, aunque entiendo	
	que mi señora doña Madalena	
	quedaba algo indispuesta.	

---

[89] *partes,* 'cualidades'.

DUQUE.	Pues ¿qué tiene?
JUANA.	Habrá dos días que anda melancólica, 450
	sin saberse la causa deste daño.
DUQUE.	Ya la adivino yo: vamos a vella,
	que, como darla nuevo estado intento,
	la mudanza de vida siempre causa
	tristeza en la mujer honrada y noble; 455
	y no me maravillo esté afligida
	quien teme un cautiverio de por vida.
	Doña Juana: quedaos; que como viene
	el mensajero de Lisboa, y conoce
	al conde de Penela, vuestro primo, 460
	tendréis que preguntarle muchas cosas.
JUANA.	Es, gran señor, así.
DUQUE.	Yo gusto deso.
	Secretario: quedaos.
ANTON.	Tus plantas beso.

(*Vanse el* DUQUE *y* FIGUEREDO.)

ANTON.	Venturosos han sido los principios.
JUANA.	Si tienes por ventura ser criado 465
	de quien eres igual, ventura tienes.
ANTON.	Ya por lo menos estaré presente,
	y estorbaré los celos de algún modo
	que el conde de Estremoz me causa, prima.
JUANA.	Dásele dél tan poco a quien adoras, 470
	y deso, primo, está tan olvidada,
	que en lo que pone agora su cuidado
	es sólo en estudiar con sus doncellas
	una comedia, que por ser mañana
	Carnestolendas, a su hermana intenta 475
	representar, sin que lo sepa el duque.
ANTON.	¿Es inclinada a versos?
JUANA.	Pierde el seso
	por cosas de poesía, y esta tarde
	conmigo sola en el jardín pretende
	ensayar el papel, vestida de hombre. 480
ANTON.	¿Así me dices eso, doña Juana?
JUANA.	Pues, ¿cómo quieres que lo diga?
ANTON.	¿Cómo?

	Pidiéndome la vida, el alma, el seso,	
	en pago de que me hagas tan dichoso	
	que yo la pueda ver de aquesa suerte:	485
	así vivas más años que hay estrellas;	
	así jamás el tiempo riguroso	
	consuma la hermosura de que gozas;	
	así tus pensamientos se te logren,	
	y el rey de Portugal, enamorado	490
	de ti, te dé la mano, el cetro y vida.	

JUANA. Paso; que tienes talle [90] de casarme
con el Papa, según estás sin seso.
Yo te quiero cumplir aquese antojo.
Vamos, y esconderéte en los jazmines   495
y murtas que de cercas a los cuadros
sirven, donde podrás, si no das voces,
dar un hartazgo al alma.

ANTON.   ¿Hay en Avero
algún pintor?

JUANA.   Algunos tiene el duque
famosos; mas ¿por qué me lo preguntas?   500

ANTON. Quiero llevar conmigo quien retrate
mi hermoso serafín; pues fácilmente,
mientras se viste, sacará el bosquejo.

JUANA. ¿Y si lo siente doña Serafina
o el pintor lo publica?

ANTON.   Los dineros   505
ponen freno a las lenguas y los quitan:
o mátame o no impidas mis deseos.

JUANA. ¡Nunca yo hablara, o nunca tú lo oyeras,
que tal prisa me das! Ahora bien, primo;
en esto puedes ver lo que te quiero.   510
Busca un pintor sin lengua, y no malparas;
que, según los antojos diferentes
que tenéis los que andáis enamorados,
sospecho para mí que andáis preñados.

(Vanse.)

[*Jardín del palacio.*]

(*Salen el* DUQUE *y* DOÑA MADALENA.)

---

[90] *tener talle,* 'tener aire'.

DUQUE.	Si darme contento es justo,	515
	no estés, hija, desa suerte;	
	que no consiste mi muerte	
	más de en verte a ti sin gusto.	
	Esposo te dan los cielos	
	para poderte alegrar,	520
	sin merecer tu pesar	
	el conde de Vasconcelos.	
	A su padre el de Berganza,	
	pues que te escribió, responde;	
	escribe también al conde,	525
	y no vea yo mudanza	
	en tu rostro ni pesar,	
	si de mi vejez los días	
	con esas melancolías	
	no pretendes acortar.	530
MADAL.	Yo, señor, procuraré	
	no tenerlas, por no darte	
	pena, si es que un triste es parte	
	en sí de que otro lo esté.	
DUQUE.	Si te diviertes, bien puedes.	535
MADAL.	Yo procuraré servirte;	
	y agora quiero pedirte,	
	entre las muchas mercedes	
	que me has hecho, una pequeña.	
DUQUE.	Con condición que se olvide	540
	aquesa tristeza, pide.	
MADAL.	(*Aparte.*) Honra: el amor os despeña.	
	El preso que te pedí	
	librases, y ya lo ha sido,	
	de todo punto ha querido	545
	favorecerse de mí:	
	con sólo esto, gran señor,	
	parece que me ha obligado;	
	y así, a mi cargo he tomado,	
	con su aumento, tu favor.	550
	Es hombre de buena traza,	
	y tiene estremada pluma.	
DUQUE.	Dime lo que quiere en suma.	
MADAL.	Quisiera entrar en la plaza	

	de secretario.	
DUQUE.	Bien poco	555
	ha que dársela pudiera;	
	aún no ha un cuarto de hora entera	
	que está ocupada.	
MADAL.	*(Aparte.)* Amor loco:	
	¡muy bien despachado estáis!	
	Vos perderéis por cobarde,	560
	pues acudistes tan tarde,	
	que con alas no voláis.	
DUQUE.	Por orden del camarero	
	a un mancebo he recibido	
	que de Lisboa ha venido	565
	con aquese intento a Avero;	
	y, según lo que en él vi,	
	muestra ingenio y suficiencia.	
MADAL.	Si gusta vuestra excelencia,	
	ya que mi palabra di,	570
	y él está con esperanza	
	que le he de favorecer,	
	pues me manda responder	
	al conde y al de Berganza,	
	sabiendo escribir tan mal,	575
	quien quiera que se quedara	
	en palacio, y me enseñara;	
	porque en mujer principal	
	falta es grande no saber	
	escribir cuando recibe	580
	alguna carta, o si escribe,	
	que no se pueda leer.	
	Dándome algunas liciones,	
	más clara la letra haré.	
DUQUE.	Alto, pues; lición te dé	585
	con que enmiendes tus borrones;	
	que, en fin, con ese ejercicio	
	la pena divertirás,	
	pues la tienes porque estás	
	ociosa; que el ocio es vicio.	590
	Entre por tu secretario.	
MADAL.	Las manos quiero besarte.	

CONDE.   Señor...
DUQUE.   ¡Conde don Duarte!
CONDE.   Con contento extraordinario
    vengo.
DUQUE.   ¿Cómo?
CONDE.   El rey recibe   595
    con gusto mi pretensión,
    y sobre aquesta razón
    a vuestra excelencia escribe.
     Dice que se servirá
    su majestad de que elija,   600
    para honrar mi casa, hija
    de vueselencia, y tendrá
     cuidado de aquí adelante
    de hacerme merced.
DUQUE.   Yo estoy
    contento deso, y os doy   605
    nombre de hijo; aunque importante
     será que disimuléis
    mientras doña Serafina
    al nuevo estado se inclina;
    porque ya, conde, sabéis,   610
     cuán pesadamente lleva
    esto de casarse agora.
CONDE.   Hará el alma, que la adora,
    de sus sufrimientos prueba.
DUQUE.   Yo haré las partes[91] por vos   615
    con ella; perder recelos:
    el conde de Vasconcelos
    vendrá pronto, y de las dos
     las bodas celebraré
    presto.
CONDE.   El esperar da pena.   620
DUQUE.   No estéis triste, Madalena.
MADAL.   Yo, señor, me alegraré
    por dar gusto a vueselencia.
DUQUE.   Vamos a ver lo que escribe

---

[91] *yo haré las partes por vos,* 'haré lo que me pidáis'.

94

	el rey.	
Conde.	Quien espera, y vive,	625
	bien ha menester paciencia.	

(*Vanse los dos; queda* Madalena.)

Madal.	Con razón se llama amor	
	enfermedad y locura;	
	pues siempre el que ama procura,	
	como enfermo, lo peor.	630
	Ya tenéis en casa, honor,	
	quien la batalla os ofrece,	
	y poco hará, me parece,	
	cuando del alma os despoje,	
	que quien el peligro escoge	635
	no es mucho que en él tropiece.	
	Los encendidos carbones	
	tragó Porcia, y murió luego;	
	¿qué haré yo, tragando el fuego,	
	por callar, de mis pasiones?	640
	Diréle, no por razones,	
	sino por señas visibles,	
	los tormentos invisibles	
	que padezco por no hablar;	
	porque mujer y callar	645
	son cosas incompatibles.	

(*Vase.*)

(*Salen* Doña Juana, Don Antonio *y un* Pintor.)

Juana.	Desde este verde arrayán,	
	donde el sitio al amor hurta[s],	
	estos jazmines y murtas	
	ser tus celosías podrán;	650
	pero que calles te aviso,	
	y tendrá tu amor buen fin.	
Anton.	Ya sé que es mi serafín	
	ángel deste paraíso;	
	y yo, si acaso nos siente,	655
	seré Adán echado dél.	
Juana.	Yo haré que ensaye el papel	
	aquí, para que esté enfrente	

	del pintor, y retratalla	
	con más facilidad pueda.	660
	Vistiéndose de hombre queda,	
	pues da en aquesto: a avisalla	
	voy de que solo y cerrado	
	está el jardín. Primo, adiós.	*(Vase.)*
ANTON.	Pintores somos los dos:	665
	ya yo el retrato he copiado,	
	que me enamora y abrasa.	
PINTOR.	No entiendo ese pensamiento.	
ANTON.	Naipe es el entendimiento,	
	pues la llama tabla rasa,	670
	a mil pinturas sujeto,	
	Aristóteles.	
PINTOR.	Bien dices.	
ANTON.	Las colores y matices	
	son especies del objeto,	
	que los ojos que le miran	675
	al sentido común dan;	
	que es obrador donde están	
	cosas que el ingenio admiran,	
	tan solamente en bosquejo,	
	hasta que con luz distinta	680
	las ilumina y las pinta	
	el entendimiento, espejo	
	que a todas da claridad.	
	Pintadas las pone en venta,	
	y para esto las presenta	685
	a la reina voluntad,	
	mujer de buen gusto y voto,	
	que ama el bien perpetuamente,	
	verdadero o aparente,	
	como no sea bien ignoto;	690
	que lo que no es conocido	
	nunca por ella es amado.	
PINTOR.	Desa suerte lo ha enseñado	
	el filósofo [92].	
ANTON.	Traído	

---

[92] *el filósofo,* 'Aristóteles'.

de la pintura el caudal,   695
todos los lienzos descoge [93],
y entre ellos compra y escoge,
una vez bien y otras mal:
    pónele el marco de amor,
y como en velle se huelga,   700
en la memoria le cuelga,
que es su camarín mayor.
    Del mismo modo miré
de mi doña Serafina
la hermosura peregrina;   705
tomé el pincel, bosquejé,
    acabó el entendimiento
de retratar su beldad,
compróle la voluntad,
guarnecióle el pensamiento   710
    que a la memoria le trajo,
y viendo cuán bien salió
luego el pintor escribió:
Amor me fecit [94], abajo.
    ¿Ves cómo pinta quien ama?   715

PINTOR.   Pues si ya el retrato tienes,
¿por qué a retratalla vienes
conmigo?

ANTON.   Aqueste se llama
retrato espiritual;
que la voluntad, ya ves   720
que es sólo espíritu.

PINTOR.   ¿Pues?

ANTON.   La vista, que es corporal,
    para contemplar, el rato
que estoy solo, su hermosura,
pide agora a tu pintura   725
este corporal retrato.

PINTOR.   No hay filosofía que iguale
a la de un enamorado.

---

[93] *descoger,* 'desplegar', el sujeto es «el entendimiento» del verso 682.
[94] *Amor me fecit.* Así firmaban los pintores sus cuadros.

| ANTON. | Soy en amor gradüado; | |
| | mas oye, que mi bien sale. | 730 |

(*Sale* DOÑA SERAFINA, *vestida de hombre; el vestido*
sea negro, y con ella DOÑA JUANA.)

JUANA.	¿Qué aquesto de veras haces?	
	¿Que en verte así no te ofendas?	
SERAF.	Fiestas de Carnestolendas	
	todas paran en disfraces.	
	Deséome entretener	
	deste modo; no te asombre	
	que apetezca el traje de hombre,	
	ya que no lo puedo ser.	
JUANA.	Paréceslo de manera,	
	que me enamoro de ti.	740
	En fin, ¿esta noche es?	
SERAF.	Sí.	
JUANA.	A mí más gusto me diera	
	que te holgaras de otros modos,	
	y no con representar.	
SERAF.	No me podrás tú juntar,	745
	para los sentidos todos	
	los deleites que hay diversos,	
	como en la comedia.	
JUANA.	Calla.	
SERAF.	¿Qué fiesta o juego se halla,	
	que no le ofrezcan los versos?	750
	En la comedia, los ojos	
	¿no se deleitan y ven	
	mil cosas que hacen que estén	
	olvidados tus enojos?	
	La música, ¿no recrea	755
	el oído, y el discreto	
	no gusta allí del conceto	
	y la traza que desea?	
	Para el alegre, ¿no hay risa?	
	Para el triste, ¿no hay tristeza?	760
	Para el agudo, ¿agudeza?	
	Allí el necio, ¿no se avisa?	
	El ignorante, ¿no sabe?	

¿No hay guerra para el valiente,
consejos para el prudente, 765
y autoridad para el grave?
   Moros hay, si quieres moros;
si apetecen tus deseos
torneos, te hacen torneos;
si toros, correrán toros. 770
   ¿Quieres ver los epitetos
que de la comedia he hallado?
De la vida es un traslado,
sustento de los discretos,
   dama del entendimiento, 775
de los sentidos banquete,
de los gustos ramillete,
esfera del pensamiento,
   olvido de los agravios,
manjar de diversos precios, 780
que mata de hambre a los necios
y satisface a los sabios.
   Mira lo que quieres ser
de aquestos dos bandos.

JUANA.   Digo
que el de los discretos sigo, 785
y que me holgara de ver
la farsa infinito.

SERAF.   En ella
¿cuál es lo malo que sientes?

JUANA. Sólo que tú representes.

SERAF. ¿Por qué, si sólo han de vella 790
mi hermana y sus damas? Calla;
de tu mal gusto me admiro.

ANTON. Suspenso, las gracias miro
con que habla; a retratalla
comienza, si humana mano 795
al vivo puede copiar
la belleza singular
de un serafín.

PINTOR.   Es humano;
bien podré.

ANTON.   Pues ¿no te admiras

		800
	de su vista soberana?	
SERAF.	El espejo, doña Juana;	
	tocaréme.	
JUANA.	*(Trae un espejo.)* Si te miras	

SERAF.   El espejo, doña Juana;
            tocaréme.
JUANA.   *(Trae un espejo.)* Si te miras
                en él, ten, señora, aviso,
            no te enamores de ti.
SERAF.   ¿Tan hermosa estoy ansí?   805
JUANA.   Temo que has de ser Narciso.
SERAF.   ¡Bueno! Desta suerte quiero
            los cabellos recoger,
            por no parecer mujer
            cuando me quite el sombrero: 810
                pon el espejo. ¿A qué fin
            le apartas?
JUANA.   Porque así impido
            a un pintor que está escondido
            por copiarte en el jardín.
SERAF.   ¿Cómo es eso?
PINTOR.   ¡Vive Dios,   815
            que aquesta mujer nos vende!
            Si el duque acaso esto entiende,
            medrado habemos los dos.
SERAF.   ¿En el jardín hay pintor?
JUANA.   Sí: deja que te retrate.   820
ANTON.   ¡Cielos! ¿Hay tal disparate?
SERAF.   ¿Quién se atrevió a eso?
JUANA.   Amor,
            que, como en Chipre [95], se esconde
            enamorado de ti
            por retratarte.
ANTON.   Eso sí.   825
JUANA.   *(Aparte.)* ¡Cuál estará agora el conde!
SERAF.   Humor tienes singular
            aquesta tarde.
PINTOR.   ¿Ha de ser

---

[95] *Chipre*, isla en el Mediterráneo. El dios del amor fue hijo de Marte y de Venus. Para evitar las turbulencias que por su inclinación al mal pudiera causar el niño, Júpiter mandó a su madre que se deshiciera de él, pero la madre lo ocultó en los bosques de Chipre.

	el vestido de mujer	
	con que la he de retratar,	830
	o como agora está?	
ANTON.	Sí,	
	como está; por que se asombre	
	el mundo, que en traje de hombre	
	un serafín ande ansí.	
PINTOR.	Sacado tengo el bosquejo,	835
	en casa lo acabaré.	
SERAF.	Ya de tocarme acabé;	
	quitar puedes el espejo.	
	¿No está bien este cabello?	
	¿Qué te parezco?	
JUANA.	Un Medoro [96].	840
SERAF.	No estoy vestida de moro.	
JUANA.	No; mas pareces más bello.	
SERAF.	Ensayemos el papel,	
	pues ya estoy vestida de hombre.	
JUANA.	¿Cuál es de la farsa el nombre?	845
SERAF.	*La portuguesa cruel.*	
JUANA.	En ti el poeta pensaba,	
	cuando así la intituló.	
SERAF.	Portuguesa soy; cruel, no.	
JUANA.	Pues a amor ¿qué le faltaba,	850
	a no sello?	
SERAF.	¿Qué crueldad	
	has visto en mí?	
JUANA.	No tener	
	a nadie amor.	
SERAF.	*(Vase poniendo el cuello y capa y sombrero.)*	
	¿Puede ser	
	el no tener voluntad	
	a ninguno, crueldad? Di.	855
JUANA.	¿Pues no?	
SERAF.	¿Y será justa cosa,	
	por ser para otros piadosa,	
	ser yo cruel para mí?	
PINTOR.	Par diez, que ella dice bien.	

---

[96] Medoro, el personaje del *Orlando furioso,* de quien se enamoró Angélica.

ANTON.	¡Pobre del que tal sentencia	860
	está escuchando!	
PINTOR.	Paciencia.	
ANTON.	Mis temores me la den.	
SERAF.	Déjame ensayar, acaba;	
	verás cuál hago un celoso.	
JUANA.	¿Qué papel haces?	
SERAF.	Famoso.	865
	Un príncipe que sacaba	
	al campo, a reñir por celos	
	de su dama, a un conde.	
JUANA.	Pues,	
	comienza.	
SERAF.	No sé lo que es;	
	pero escucha, y fingirélos [97]. *(Representa.)*	870

Conde: vuestro atrevimiento
a tal término ha venido,
que ya la ley ha rompido
de mi honrado sufrimiento.

Espantado estoy, por Dios, 875
de vos, y de Celia bella:
de vos, porque habláis con ella;
della, porque os oye a vos;

que, supuesto que sabéis
las conocidas ventajas 880
que hace a vuestras prendas bajas
el valor que conocéis

en mí, desacato ha sido:
en vos, por habella amado,
y en ella, por haber dado 885
a vuestro amor loco oído.

Oye: no hay satisfacciones,
que serán intentos vanos;
pues como no tenéis manos [98],
queréis vencerme a razones. 890

Haga vuestro esfuerzo alarde,
acábense mis recelos,
que no es bien que me dé celos,

---

[97] *los,* 'los celos'.
[98] *manos,* es decir, manos para batirse en duelo.

	un hombre que es tan cobarde. *(Echa mano.)*	
	Muestra tu valor agora,	895
	medroso, infame enemigo;	
	muere.	
JUANA.	¡Ay! ten; que no es conmigo	
	la pesadumbre, señora.	
SERAF.	¿Qué te parece?	
JUANA.	Temí.	
SERAF.	Enojéme.	
JUANA.	Pues ¿qué hicieras,	900
	a ser los celos de veras,	
	si te enojas siendo así?	
ANTON.	¡Hay celos con mayor gracia!	
PINTOR.	Estoy mirándola loco.	
	¡Donaire extraño!	
JUANA.	Por poco	905
	sucediera una desgracia,	
	de verte tuve temor;	
	un valentón bravo has hecho.	
SERAF.	Oye agora. Satisfecho	
	de mi dama y de su amor,	910
	del enojo que la di,	
	muy a lo tierno la pido	
	me perdone arrepentido.	
JUANA.	Eso será bueno: di.	
SERAF.	*(Representa.)* Los cielos me son	915
	[testigos,	
	si el enojo que te he dado,	
	al alma no me ha llegado.	
	Mi bien, seamos amigos;	
	basta, no haya más enojos,	
	pues yo propio me castigo,	920
	vuelvan a jugar conmigo	
	las dos niñas desos ojos [99];	
	quitad el ceño, no os note	
	mi amor, niñas soberanas;	
	que dirá que sois villanas,	925

---

[99] Juego de palabras: en las niñas de los ojos, que siendo niñas, juegan y si están encapotadas, es decir, ceñudas, pueden parecer villanas, pues la capota era prenda villanesca (F. A.).

viéndoos andar con capote.
    ¿De qué sirve este desdén,
mi gloria, mi luz, mi cielo,
mi regalo, mi consuelo,
mi paz, mi gloria, mi bien?   930
    ¿Qué no me quieres mirar?
¡Que esto no te satisfaga!
Mátame, toma esta daga.
Mas no me querrás matar;
    que aunque te enojes, yo sé   935
que en mí tu gusto se emplea.
No haya más, mi Celia, ea;
mira que me enojaré.

            (*Va a abrazar a* DOÑA JUANA.)

            Como te adoro, me atrevo;
        no te apartes, no te quites.   940
JUANA. Pasito, que te derrites;
        de nieve te has vuelto sebo.
            Nunca has sido, sino agora,
        portuguesa.
ANTON.   ¡Ah, cielo santo!
        ¡Quién la dijera otro tanto   945
        como ha dicho!
JUANA.   Di, señora:
            ¿es posible que quien siente
        y hace así un enamorado
        no tenga amor?
SERAF.   No me ha dado
        hasta agora ese accidente,   950
            porque su provecho es poco,
        y la pena que da es mucha.
        Aqueste romance escucha;
        ¡verás cuán bien finjo un loco! (*Representa.*)
            ¿Que se casa con el conde,   955
        y me olvida Celia? ¡Cielos!
        Pero mujer y mudanza
        tienen un principio mesmo.
            ¿Qué se hicieron los favores,
        que cual flores prometieron   960

104

el fruto de mi esperanza?
Mas fueron flores de almendro;
un cierzo las ha secado.
Loco estoy, matarme quiero;
piérdase también la vida,   965
pues ya se ha perdido el seso.
Mas, no; vamos a las bodas;
que razón es, pensamiento,
pues que la costa pagamos,
que a mi costa nos holguemos.   970
En la aldea se desposan
los dos a lo villanesco;
que pues se casa en aldea,
villana su amor [la] ha vuelto;
celos, volemos allá,   975
pues tenéis alas de fuego.
A lindo tiempo llegamos,
desde aquí verla podemos.
Ya salen los convidados,
el tamboril toca el tiempo,   980
porque a su son bailan todos;
pues ellos bailan, bailemos.
Va: *Perantón, Perantón...* [100]   *(Baila.)*
Haced mudanzas, deseos,
pues vuestra Celia las hace: 985
tocá, Pero Sastre, el viejo,
pues que la villa lo paga.
Ya se entraron allá dentro,
ya quieren dar colación:
la capa del sufrimiento   *(Rebózase.)*   990
me rebozaré, que así
podré llegar encubierto,
y arrimarme a este rincón,
como mis merecimientos.
Avellanas y tostones   995
dan a todos. ¡Hola! ¡Ah, necios!
Llegad, tomaré un puñado.—
¿Yo necio? Mentís.—¿Yo miento?

---

[100] En una letra de Navidad de Valdivielso se cita un cantar de
Perantón. A algo por el estilo se referirá Tirso (A. C.).

Tomad.—¿A mí bofetón? *(Dase un bofetón.)*
Muera.—Téngase. ¿Qué es esto?—   1000
                           (Echa mano.)
No fue nada.—Sean amigos.—
Yo lo soy.—Yo serlo quiero.   *(Envaina.)*
Ya ha llegado el señor cura.
Por muchos años y buenos
se regocije esta casa   1005
con bodas y casamientos.—
Por vertú de su mercé,
señor cura: aquí hay asiento.—
Eso no.—Tome esta silla
de costillas [101].—No haré, cierto.—   1010
Digo que la ha de tomar.—
Este escaño estaba bueno;
mas por no ser porfiado...—
Ya se ha rellanado el viejo.
Echa vino, Hernán Alonso;   1015
beba el cura, y vaya arreo [102].—
¡Oh, cómo sabe a la pega! [103]—
También Celia sabe a celos.
Ya es hora del desposorio;
todos están en pie puestos;   1020
los novios y los padrinos
enfrente, y el cura enmedio.—
Fabio: ¿queréis por esposa
a Celia hermosa?—Sí, quiero.—
Vos, Celia: ¿queréis a Fabio?—   1025
Por mi esposo y por mi dueño.—
¡Oh, perros! ¡En mi presencia! *(Mete mano.)*
El príncipe Pinabelo
soy, mueran los desposados,
el cura, la gente, el pueblo.—   1030
¡Ay, que nos mata!—Pegadles,
celos míos, vuestro incendio:

---

[101] *silla de costilla,* 'asiento plegable con varas encorvadas como costillas'.

[102] *vaya arreo,* 'sin interrupción'.

[103] *pega,* baño que se da con pez a los vasos, cántaros y pellejos (A. C.).

	pues Sansón me he vuelto, muera	
	Sansón con los Filisteos;	
	que no hay quien pueda resistir el fuego,	1035
	cuando le enciende amor y soplan celos.	
JUANA.	¡Pecadora de mí; tente!	
	que no soy Celia, ni Celio,	
	para airarte contra mí.	
SERAF.	Encendíme, te prometo,	1040
	como Alejandro [104] lo hacía,	
	llevado del instrumento	
	que aquel músico famoso	
	le tocaba.	
ANTON.	¿Pudo el cielo	
	juntar más donaire y gracia	1045
	solamente en un sujeto?	
	¡Dichoso quien, aunque muera,	
	le ofrece sus pensamientos!	
JUANA.	Diestra estás; muy bien lo dices.	
SERAF.	Ven, doña Juana; que quiero	1050
	vestirme sobre este traje	
	el mío, hasta que sea tiempo	
	de representar.	
JUANA.	A fe,	
	que se ha de holgar en extremo	
	tu melancólica hermana.	1055
SERAF.	Entretenerla deseo. *(Vanse las dos.)*	
PINTOR.	Ya se fueron.	
ANTON.	Ya quedé	
	con su ausencia triste y ciego.	
PINTOR.	En fin: ¿quieres que de hombre	
	la pinte?	
ANTON.	Sí; que deseo	1060
	contemplar en este traje	
	lo que agora visto habemos;	
	pero truécala el vestido.	
PINTOR.	Pues ¿no quieres que sea negro?	
ANTON.	Dará luto a mi esperanza;	1065

---

[104] Alejandro era aficionado a un músico llamado Timoteo, cuyos aires frigios le incitaban de tal manera que en seguida corría a las armas, como si el enemigo estuviese próximo (A. C.).

	mejor es color de cielos	
	con oro [105], y pondrán en él	
	oro amor y azul mis celos.	
PINTOR.	Norabuena.	
ANTON.	¿Para cuándo	
	me le tienes de dar hecho?	1070
PINTOR.	Para mañana sin falta.	
ANTON.	No repares en el precio;	
	que no trujera amor desnudo el cuerpo,	
	a ser interesable y avariento. *(Vanse.)*	

(Salen DOÑA MADALENA *y* MIRENO.)

MADAL.	Mi maestro habéis de ser	1075
	desde hoy.	
MIRENO.	¿Qué ha visto en mí,	
	vuestra excelencia, que así	
	me procura engrandecer?	
	Dará lición al maestro	
	el discípulo desde hoy.	1080
MADAL.	*(Aparte.)* ¡Qué claras señales doy	
	del ciego amor que le muestro!	
MIRENO.	*(Aparte.)* ¿Qué hay que dudar, esperanza?	
	Esto ¿no es tenerme amor?	
	Dígalo tanto favor,	1085
	muéstrelo tanta privanza.	
	Vergüenza: ¿por qué impedís	
	la ocasión que el cielo os da?	
	Daos por entendido ya.	
MADAL.	Como tengo, don Dionís,	1090
	tanto amor...	
MIRENO.	*(Aparte.)* ¡Ya se declara,	
	ya dice que me ama, cielos!	
MADAL.	... al conde de Vasconcelos,	
	antes que venga, gustara,	
	no sólo hacer buena letra,	1095
	pero saberle escribir,	

---

[105] Oro es el color del amor y azul el de los celos. Véase S. G. Morley, «Color Symbolism in Tirso de Molina», *RR* (1917), 77-81.

y por palabras decir
lo que el corazón penetra;
que el poco uso que en amar
tengo, pide que me adiestre   1100
esta experiencia y, me muestre
cómo podré declarar
    lo que tanto al alma importa,
y el amor mismo me encarga;
que soy en quererle larga,   1105
y en significarlo corta.
    En todo os tengo por diestro;
y así, me habéis de enseñar
a escribir, y a declarar
al conde mi amor, maestro.   1110

MIRENO.   (*Aparte.*) ¿Luego no fue en mi favor,
pensamiento lisonjero,
sino porque sea tercero
del conde? ¿Veis, loco amor?
    cuán sin fundamento y fruto   1115
torres habéis levantado
de quimeras, que ya han dado
en el suelo? Como el bruto
    en esta ocasión he sido,
en que la estatua iba puesta,   1120
haciéndola el pueblo fiesta,
que loco y desvanecido
    creyó que la reverencia,
no a la imagen que traía,
sino a él[106] sólo se hacía;   1125
y con brutal impaciencia
    arrojalla de sí quiso
hasta que se apaciguó
con el castigo, y cayó
confuso en su necio aviso.   1130
    ¿Así el favor corresponde
con que me he desvanecido?
Basta; que yo el bruto he sido,
y la estatua es sólo el conde.

---

[106] *él*, 'el conde'

	Bien puedo desentonarme,	1135
	que no es la fiesta por mí.	
MADAL.	(*Aparte.*) Quise deslumbrarle así;	
	que fue mucho declararme.	
	Mañana comenzaréis,	
	maestro, a darme lición.	1140
MIRENO.	Servirte es mi inclinación.	
MADAL.	Triste estáis.	
MIRENO.	¿Yo?	
MADAL.	¿Qué tenéis?	
MIRENO.	Ninguna cosa.	
MADAL.	(*Aparte.*) Un favor.	
	me manda amor que le dé.	
	(*Tropieza y dala la mano* MIRENO.)	
	¡Válgame Dios! Tropecé…	1145
	(*Aparte.*) Que siempre tropieza amor.	
	El chapín se me torció.	
MIRENO.	(*Aparte.*) ¡Cielos! ¿Hay ventura igual?	
	¿Hízose acaso algún mal	
	vueselencia?	
MADAL.	Creo que no.	1150
MIRENO.	¿Que la mano la tomé?	
MADAL.	Sabed que al que es cortesano	
	le dan, al darle una mano,	
	para muchas cosas pie. (*Vase.*)	
MIRENO.	«¡Le dan, al darle una mano,	1155
	para muchas cosas pie!»	
	De aquí, ¿qué colegiré?	
	Decid, pensamiento vano:	
	en aquesto, ¿pierdo o gano?	
	¿Qué confusión, qué recelos	1160
	son aquestos? Decid, cielos:	
	¿esto no es amor? Mas no,	
	que llevo la estatua yo	
	del conde de Vasconcelos.	
	Pues ¿qué enigma es darme pie	1165
	la que su mano me ha dado?	
	Si sólo el conde es amado,	
	¿qué es lo que espero? ¿Qué sé?	
	Pie o mano, decid, ¿por qué	

dais materia a mis desvelos ?   1170
Confusión, amor, recelos,
¿soy amado? Pero no,
que llevo la estatua yo
del conde de Vasconcelos.

    El pie que me dio será   1175
pie para darla lición
en que escriba la pasión
que el conde y su amor la da.
Vergüenza, sufrí y callá;
    basta ya, atrevidos vuelos,   1180
vuestra ambición, si a los cielos
mi desatino os subió;
que llevo la estatua yo
del conde de Vasconcelos.

FIN DEL ACTO SEGUNDO

ACTO TERCERO

[*Casa de un labrador.*]

(*Salen* LAURO, *pastor viejo, y* RUY LORENZO, *también de pastor.*)

RUY.   Si la edad y la prudencia
        ofrece en la adversidad,
        Lauro discreto, paciencia,
        vuestra prudencia y edad
        pueden hacer la esperiencia.   5
        Dejad el llanto prolijo,
        que, si vuestro ausente hijo
        es causa que lloréis tanto,
        él convertirá ese llanto
        brevemente en regocijo.
        Su virtud misma procura
        honrar vuestra senectud
        y hacer su dicha segura,
        que siempre fue la virtud
        principio de la ventura;   15
        y pues la tiene por madre,
        no es bien que ese llanto os cuadre.
LAURO.   Eso mis males lo vedan,
        porque los hijos heredan
        las desdichas de su padre.   20
        No le he dejado otra herencia

	si no es la desdicha mía,	
	que era el muro que tenía	
	mi vejez.	

RUY.   ¿Esa es prudencia?

Si por trabajos un hombre   25
es bien que llore y se asombre,
¿quién los tiene como yo,
a quien el cielo quitó
honra, patria, hacienda y nombre?

Un hijo sólo perdéis,   30
aunque no en las esperanzas
que de gozalle tenéis;
pero yo, con las mudanzas
que de mi vida sabéis,

¿cuándo veré que el furor   35
del tiempo y de su rigor
dejará de hacerme ultraje,
despreciado en este traje
y con nombre de traidor?

Consoladme vos a mí,   40
pues es más lo que perdí.

LAURO. ¿Más que un hijo habéis perdido?

RUY. El honor [107], ¿no es preferido
a la vida y hijos?

LAURO.   Sí.

RUY. Pues si no tengo esperanza   45
de dar a mi honor remedio,
más pierdo.

LAURO.   En una venganza
no es bien que se tome el medio
deshonrado; el que la alcanza

con medios que injustos son,   50
cuando más vengarse intenta,
queda con mayor afrenta;
dando color de traición.

el contrahacer firma y sello   55
del duque para matar

---

[107] El honor era uno de los temas más importantes no sólo de
la comedia, sino también de la vida.

al conde, pudiendo hacello
de otro modo y no manchar
vuestro honor por socorrello.
     Y pues parece castigo
el que os da el tiempo enemigo,   60
justo es que estéis consolado,
pues padecéis por culpado;
pero el que usa conmigo
mi desdicha es diferente,
pues, aunque no lo merezco,   65
me castiga.

RUY.   Un hijo ausente
no es gran daño.

LAURO.   El que padezco
tantos años inocente
     os diré, si los ajenos
daños hacen que sean menos   70
los propios males.

RUY.   No son
de aquesa falsa opinión
los generosos y buenos;
     porque el prudente y discreto
siente el daño ajeno tanto   75
como el propio.

LAURO.   Si secreto
me guardáis, diraos mi llanto
su historia.

RUY.   Yo os le prometo;
     mas llorar un hijo ausente
un hombre es mucha flaqueza.   80

LAURO.   Pierdo, con perdelle, mucho.

RUY.   ¿Qué más estremos hicieras,
a tener tú mis desdichas?

LAURO.   ¡Ay, Dios! Si quien soy supieras,
     ¡cómo todas tus desgracias   85
las juzgaras por pequeñas!

RUY.   Ese enigma me declara.

LAURO.   Pues con ese traje quedas
en el lugar de mi hijo,
escucha mi suerte adversa.   90

Yo, Ruy Lorenzo, no soy
hijo destas asperezas,
ni el traje que tosco ves
es mi natural herencia;
no es de Lauro mi apellido,   95
ni mi patria aquesta sierra,
ni jamás mi sangre noble
supo cultivar la tierra.
Don Pedro de Portugal
me llaman, y de la cepa   100
de los reyes lusitanos
desciendo por línea recta.
El rey don Duarte fue
mi hermano, y el que ahora reina
es mi sobrino.

RUY.   ¿Qué escucho?   105
¡Duque de Coimbra! Deja
que sellen tus pies mis labios,
y que mis desdichas tengan
fin, pues con las tuyas son
o ningunas o pequeñas.   110

LAURO.   Alza del suelo y escucha,
si acaso tienes paciencia
para saber los vaivenes
de la fortuna y su rueda.
Murió el rey de Portugal,   115
mi hermano, en la primavera
de su juventud lozana;
mas la muerte, ¿qué no seca?
De seis años dejó un hijo,
que agora, ya hombre, intenta   120
acabar mi vida y honra;
y dejando la tutela
y el gobierno destos reinos
solos a mí y a la reina.
Murió el rey; sobre el gobierno   125
hubo algunas diferencias
entre mí y la reina viuda,
porque jamás la soberbia
supo admitir compañía

en el reinar, y las lenguas   130
de envidiosos lisonjeros
siempre disensiones siembran.
Metióse el rey de Castilla
de por medio, porque era
la reina su hermana: en fin,   135
nuestros enojos concierta
con que rija en Portugal
la mitad del reino, y tenga
en su poder al infante.
Vine en esta conveniencia;   140
mas no por eso cesaron
las envidias y sospechas,
hasta alborotar el reino
asomos de armas y guerras.
Pero cesó el alboroto   145
porque, aunque era moza y bella
la reina, un mal repentino
dio con su ambición en tierra.
Murió, en fin; gocé el gobierno
portugués sin competencia,   150
hasta que fue Alfonso Quinto,
de bastante edad y fuerzas.
Caséle con una hija
que me dio el cielo, Isabela
por nombre; aunque desdichada,   155
pues ni la estima ni precia.
Juntáronsele al rey mozo
mil lisonjeros, que cierran
a la verdad en palacio,
como es costumbre, las puertas.   160
Entre ellos un mi enemigo,
de humilde naturaleza,
Vasco Fernández por nombre,
gozó la privanza excelsa;
y queriendo derribarme   165
para asegurarse en ella,
a mi propio hermano induce,
y, para engañarle, ordena
hacerle entender que quiero

levantarme con sus tierras 170
y combatirle a Berganza,
siendo duque por mí della.
Creyólo, y ambos a dos
al nuevo rey aconsejan,
si quiere gozar seguro 175
sus estados, que me prenda;
para lo·cual alegaban
que di muerte con hierbas
a doña Leonor, su madre,
y que con traiciones nuevas 180
quitalle intentaba el reino,
pidiendo al de Inglaterra
socorro, con cartas falsas
en que mi firma le enseñan.
Creyólo; desposeyóme 185
de mi estado y las riquezas
que en el gobierno adquirí;
llevóme a una fortaleza,
donde, sin bastar los ruegos
ni lágrimas·de Isabela, 190
mi hija y su esposa, manda
que me corten la cabeza.
Supe una noche propicia
el rigor de la sentencia,
y, ayudándome el temor, 195
las sábanas hechas vendas,
me descolgué de los muros,
y en aquella noche mesma
di aviso que me siguiese
a mi esposa la duquesa. 200
Supo el rey mi fuga, y manda
que al son de roncas trompetas
me publiquen por traidor,
dando licencia a cualquiera
para quitarme la vida, 205
poniendo mortales penas
a quien, sabiendo de mí,
no me lleve a su presencia.
Temí el rigor del mandato,

y como en la suerte adversa   210
huye el amistad, no quise
ver en ellos su esperiencia.
Llegamos hasta estos montes,
donde de parto y tristeza
murió mi esposa querida,   215
y un hijo hermoso me deja,
que en este traje criado,
comprando ganado y tierras,
y hecho de duque pastor,
ha ya veinte primaveras   220
que han dado flores a mayo,
hierba al prado y a mí penas,
que el estado en que me ves
conservo; mas todo fuera
poco, a no perder la vista   225
del hijo en cuya presencia
olvidaba mis trabajos.
Mira si es razón que sienta
la falta que a mi vejez
hace su vista, y que pierda   230
la vida, que ya se acaba,
entre lágrimas molestas.

RUY. Notables son los sucesos
que en el mundo representa
el tiempo caduco y loco,   235
autor de tantas tragedias.
La tuya, famoso duque,
hace que olvide mis penas;
mas yo espero en Dios que presto
dará fortuna la vuelta.   240
Bien claras señales daba
de tu hijo la presencia,
que, cual ceniza, el sayal
las llamas de su nobleza
encubría: quiera el cielo   245
que rico y próspero él vuelva
a consolarte.

(*Salen* VASCO *y* BATO, *pastores.*)

Bato.	Nuesamo:
	con cinco carros de leña
	vamos a Avero. ¿Mandas algo
	para allá.
Lauro.	Bato: que vengas 250
	presto.
Bato.	¿No quieres más?
Lauro.	No.
Bato.	Pues yo sí, porque quisiera
	que, a cuenta de mi soldada,
	ocho veintenes [108] me diera
	para una cofia de pinos [109] 255
	que me ha pedido Firela.
Lauro.	Ven por ellos.
Bato.	En mi tarja [110]
	nueve rayas tengo hechas,
	porque otros cinco tostones
	debo no más.
Lauro.	¡Qué simpleza! 260

(Vanse Bato *y* Lauro.*)*

Vasco.	¿No podría yo ir allá?
Ruy.	No, Vasco amigo, si intentas
	no perderte; que ya sabes
	nuestro peligro y afrenta.
Vasco.	¿Hasta cuándo quieres que ande 265
	en esta vida grosera,
	de mis calzas desterrado?
	Vuélveme, señor, a ellas,
	y líbrame de un mastín
	que anoche desde la puerta 270
	de Melisa me llevó
	dos cuarterones de pierna.
Ruy.	Pues ¿qué hacías tú de noche
	a su puerta?
Vasco.	Hay cosas nuevas.
	Si aquí es el amor quillotro, 275

---

[108] *veintén,* escudo de oro de veinte reales.

[109] cofia con un adorno rústico.

[110] *tarja,* tablita en que marca las deudas con rayas porque no sabe escribir.

	quillotrado estoy por ella;	275
	hízome ayer un favor	
	en el valle.	
RUY.	¿Y fue?	
VASCO.	Que tiesa	
	me dió un pellizco en un brazo,	
	terrible, y me hizo señas	280
	con el ojo zurdo.	
RUY.	¿Y ese	
	es buen favor?	
VASCO.	¡Linda flema!	
	Ansí se imprime el carácter	
	del amor en las aldeas. (*Vanse.*)	

[*Salón en el palacio.*]

(*Salen* MIRENO *y* TARSO.)

TARSO.	¿Más muestras quieres que dé	285
	que decirte, al «cortesano	
	le dan, al dalle una mano,	
	para muchas cosas pie»?	
	¿Puede decirlo más claro	
	una mujer principal?	290
	¿Qué aguardabas, pese a tal,	
	amante corto y avaro,	
	que ya te daré este nombre,	
	pues no te osas atrever?	
	¿Esperas que la mujer	295
	haga el oficio de hombre?	
	¿En qué especie de animales	
	no es la hembra festejada,	
	perseguida y paseada	
	con amorosas señales?	300
	A solicitalla empieza,	
	que lo demás es querer	
	el orden sabio romper	
	que puso naturaleza.	
	Habla; no pierdas por mudo	305
	tal mujer y tal estado.	

MIRENO.	Un laberinto intrincado
	es Tarso, el que temo y dudo.
	No puedo determinarme
	que me prefieran los cielos	310
	al conde de Vasconcelos;
	pues llegando a compararme
	con él, sé que es gran señor,
	mozo discreto, heredero
	de Berganza, y desespero,	315
	viéndome humilde pastor,
	rama vil de un tronco pobre,
	y que tan noble mujer
	no es posible quiera hacer
	más favor que al oro, al cobre.	320
	Mas después el afición
	con que me honra y favorece,
	las mercedes que me ofrece
	su afable conversación,
	el supenderse, el mirar,	325
	las enigmas y rodeos
	con que explica sus deseos,
	el fingir un tropezar
	—si es que fue fingido—, el darme
	la mano, con la razón	330
	que me tiene en confusión
	se animan para animarme,
	y entre esperanza y temor,
	como ya, Brito, me abraso,
	llego a hablalla, tengo el paso;	335
	tira el miedo, impele amor,
	y cuando más me provoca
	y hablalla el alma comienza,
	enojada la vergüenza
	llega y tápame la boca.	340
TARSO.	¿Vergüenza? ¿Tal dice un hombre?
	¡Vive Dios, que estoy corrido
	con razón de haberte oído
	tal necedad! No te asombre
	que así llame a tu temor,	345
	por no llamarle locura.

¡Miren aquí qué criatura,
o qué doncella Teodor, [111]
para que con este espacio
diga que vergüenza tiene!   350
No sé yo para qué viene
el vergonzoso a palacio.
Amor vergonzoso y mudo
medrará poco, señor,
que, a tener vergüenza amor,   355
no le pintaran desnudo.
No hayas miedo que se ofenda
cuando digas tus enojos;
vendados tiene los ojos,
pero la boca sin venda.   360
Habla, o yo se lo diré;
porque, si callas, es llano
que quien te dio pie en la mano
tiene de dejarte a pie.

MIRENO.   Ya, Brito, conozco y veo   365
que amor que es mudo no es cuerdo;
pero si por hablar pierdo
lo que callando poseo,
y agora con mi privanza
y imaginar que me tiene   370
amor, vive y se entretiene
mi incierta y loca esperanza,
y declarando mi amor
tengo de ver en mi daño
el castigo y desengaño,   375
que espero de su rigor,
¿no es mucho más acertado,
aunque la lengua sea muda,
gozar un amor en duda,
que un desdén averiguado?   380
Mi vergüenza esto señala,
esto intenta mi secreto.

TARSO.   Dijo una vez un discreto

---

[111] *Teodor*, Tirso alude a la doncella Teodor, familiar al público en una leyenda oriental. Aquí se la nombra para burlarse del
tímido Mireno.

122

	que en tres cosas era mala	385
	la vergüenza y el temor.	
MIRENO.	¿Y eran?	
TARSO.	Escucha despacio:	
	en el púlpito, en palacio,	
	y en decir uno su amor.	
	En palacio estás, los cielos	390
	te abren camino anchuroso;	
	no pierdas por vergonzoso.	
MIRENO.	Si al conde de Vasconcelos	
	ama, ¿cómo puede ser?	
TARSO.	No lo creas.	
MIRENO.	Si lo veo,	
	y ello lo dice.	
TARSO.	Es rodeo	395
	y traza para saber	
	si amas; a hablarla comienza,	
	que, par Dios, si la perdemos,	
	que al monte volver podemos	
	a segar.	
MIRENO.	Si a vergüenza	400
	me da lugar yo lo haré,	
	aunque pierda vida y fama.	

(*Sale* DOÑA JUANA.)

JUANA.	Mirad, don Dionís, que os llama	
	mi señora...	
MIRENO.	Luego iré.	
TARSO.	Ánimo.	
MIRENO.	(*Aparte.*) ¿Qué confusión	405
	me entorpece y acobarda?	
JUANA.	Venid presto, que os aguarda. (*Vase.*)	
TARSO.	Desenvuelve el corazón;	
	háblaba, señor, de espacio.	
MIRENO.	Tiemblo, Brito.	
TARSO.	Esto es forzoso;	410
	bien dicen que al vergonzoso	
	le trajo el diablo a palacio. (*Vanse.*)	

[*Habitación de* DOÑA MADALENA.]

123

MADAL: Ciego dios, ¿qué os avergüenza
la cortedad de un temor?
¿De cuándo acá niño amor,   415
sois hombre y tenéis vergüenza?

     ¿Es posible que vivís
en don Dionís y que os llama
su Dios? Sí; pues, si me ama,
¿cómo calla don Dionís?   420

    Decláreme sus enojos,
pues callar un hombre es mengua;
dígame una vez su lengua
lo que me dicen sus ojos.

    Si teme mi calidad   425
su bajo y humilde estado,
bastante ocasión le ha dado
mi atrevida libertad.

    Ya le han dicho que le adoro
mis ojos, aunque fue en vano;   430
la lengua, al dalle la mano
a costa de mi decoro;

    ya abrió el camino que pudo
mi vergüenza. Ciego infante:
ya que me habéis dado amante,   435
¿para qué me le dais mudo?

    Mas no me espanto lo sea,
pues tanto amor me humilló;
que, aun diciéndoselo yo,
podrá ser que no lo crea.   440

(*Sale* DOÑA JUANA.)

JUANA.   Don Dionís, señora, viene
a darle lición. [112]

MADAL.   (*Aparte.*) A dar
lición vendrá de callar,
pues aun palabras no tiene.

    De suerte me trata amor   445
que mi pena no consiente

---

[112] Se supone que doña Juana se marcha.

más silencio; abiertamente
le declararé mi amor,
    contra el común orden y uso;
mas tiene de ser de modo   450
que diciéndoselo todo,
le he de dejar más confuso.

(*Siéntase en una silla; finge que duerme,
y sale* MIRENO, *descubierto.*)

MIRENO.   ¿Qué manda vuestra excelencia?
¿Es hora de dar lición?
(*Aparte.*) Ya comienza el corazón   455
a temblar en su presencia.
    Pues que calla, no me ha visto;
sentada sobre la silla,
con la mano en la mejilla
está.
MADAL.   (*Aparte.*) En vano me resisto: 460
yo quiero dar a entenderme
como que dormida estoy.
MIRENO.   Don Dionís, señora, soy.
¿No me responde? Sí duerme,
    durmiendo está. Atrevimiento,   465
agora es tiempo; llegad
a contemplar la beldad
que ofusca mi entendimiento.
    Cerrados tiene los ojos,
llegar puedo sin temor;   470
que, si son flechas de amor,
no me podrán dar enojos.
    ¿Hizo el Autor soberano
de nuestra naturaleza
más acabada belleza?   475
Besarla quiero una mano.
    ¿Llegaré? Sí; pero no;
que es la reliquia divina,
y mi humilde boca, indina [113]
de tocalla. ¡Pero yo   480

---

[113] *indina*, 'indigna'.

soy hombre y tiemblo! ¿Qué es esto?
Animo. ¿No duerme? Sí.

(*Llega y retírase.*)

Voy. ¿Si despierta? ¡Ay de mí,
que el peligro es manifiesto,
y moriré si recuerda [114]   485
hallándome deste modo.
Para no perderlo todo,
bien es que esto poco pierda.
  El temor al amor venza:
afuera quiero esperar.   490

MADAL. (*Aparte.*) ¡Que no se atrevió a llegar!
¡Mal haya tanta vergüenza!

MIRENO.   No parezco bien aquí
solo, pues durmiendo está.
Yo me voy.

MADAL. (*Aparte.*)   ¿Que al fin se va?   495

(*Como que duerme.*)

Don Dionís...

MIRENO.   ¿Llamóme? Sí.
¡Qué presto que despertó!
Miren, ¡qué bueno quedara
si mi intento ejecutara!
¿Está despierta? Mas no;   500
que en sueños pienso que acierta
mi esperanza entretenida;
y quien me llama dormida,
no me quiere mal despierta.
  ¿Si acaso soñando está   505
en mí? ¡Ay, cielos! ¿quién supiera
lo que dice?

MADAL. (*Como que duerme.*) No os vais fuera;
llegaos, don Dionís, acá.

MIRENO.   Llegar me manda su sueño.
¡Qué venturosa ocasión!   510
Obedecella es razón,
pues, aunque duerme, es mi dueño.

---

[114] *recuerda*, 'despierta'.

Amor: acabad de hablar;
no seáis corto.

MADAL. (*Todo lo que hablare ella es como entre*
sueños.) Don Dionís:
ya que a enseñarme venís   515
a un tiempo a escribir y amar
al conde de Vasconcelos...

MIRENO. ¡Ay, celos! ¿Qué es lo que veis?

MADAL. Quisiera ver si sabéis
qué es amor y qué son celos;   520
porque será cosa grave
que ignorante por vos quede,
pues que ninguno otro puede
enseñar lo que no sabe.
Decidme: ¿tenéis amor?   525
¿De qué os ponéis colorado?
¿Qué vergüenza os ha turbado?
Responded, dejá el temor;
que el amor es un tributo
y una deuda natural   530
en cuantos viven, igual
desde el ángel hasta el bruto.
(*Ella misma se pregunta y responde co-*
mo que duerme.)
Si esto es verdad, ¿para qué
os avergonzáis así?
¿Queréis bien? —Señora: sí—.   535
¡Gracias a Dios que os saqué
una palabra siquiera!

MIRENO. ¿Hay sueño más amoroso?
¡Oh, mil veces venturoso
quien le escucha y considera!   540
Aunque tengo por más cierto
que yo solamente soy
el que soñándolo estoy;
que no debo estar despierto.

MADAL. ¿Ya habéis dicho a vuestra dama   545
vuestro amor? —No me he atrevido—.
¿Luego nunca lo ha sabido?
—Como el amor todo es llama,

127

        bien lo habrá echado de ver
por los ojos lisonjeros,   550
que son mudos pregoneros—.
La lengua tiene de hacer
ese oficio, que no entiende
distintamente quien ama
esa lengua que se llama   555
algarabía de aliende. [115]
        ¿No os ha dado ella ocasión
para declararos? —Tanta,
que mi cortedad me espanta—
Hablad, que esa suspensión   560
   hace a vuestro amor agravio.
—Temo perder por hablar
lo que gozo por callar—.
Eso es necedad, que un sabio
   al que calla y tiene amor   565
compara a un lienzo pintado
de Flandes que está arrollado.
Poco medrará el pintor
   si los lienzos no descoge
que al vulgo quiere vender   570
para que los pueda ver.
El palacio nunca acoge
   la vergüenza; esa pintura
desdoblad, pues que se vende,
que el mal que nunca se entiende [116]   575
dificilmente se cura.
        —Sí; mas la desigualdad
que hay, señora, entre los dos
me acobarda—. Amor, ¿no es dios?
—Sí, señora—. Pues hablad,   580
   que sus absolutas leyes
saben abatir monarcas
v igualar con las abarcas
las coronas de los reyes.
        Yo os quiero por medianera,   585

---

[115] *algarabía de aliende*, lengua árabe hablada más allá de la frontera. Así se llamaba a la jerga de los moriscos.
[116] *entiende*, 'oye'.

128

decidme a mí a quién amáis.
—No me atrevo—. ¿Qué dudáis?
¿Soy mala para tercera?
—No; pero temo, ¡ay de mí!—
¿Y si yo su nombre os doy?   590
¿Diréis si es ella si soy
yo acaso? —Señora, sí—.
        ¡Acabara yo de hablar!
¿Mas que sé que os causa celos
el conde de Vasconcelos?   595
—Háceme desesperar;
que es, señora, vuestro igual
y heredero de Berganza—.
La igualdad y semejanza
no está en que sea principal,   600
o humilde y pobre el amante,
sino en la conformidad
del alma y la voluntad.
Declaraos de aquí adelante,
don Dionís; a esto os exhorto,   605
que en juegos de amor [117] no es cargo
tan grande un cinco de largo
como es un cinco de corto.
        Días ha que os preferí
al conde de Vasconcelos.   610

MIRENO. ¡Qué escucho, piadosos cielos!

(*Da un grito* MIRENO *y hace que despierte* DOÑA MADALENA.)

MADAL.   ¡Ay, Jesús! ¿Quién está aquí?
         ¿Quién os trujo a mi presencia,
         don Dionís?
MIRENO.   Señora mía...
MADAL.   ¿Qué hacéis aquí?
MIRENO.   Yo venía   615
         a dar a vuestra excelencia

---

[117] En juegos de amor es mejor pasar de la raya a no llegar.
Expresión del juego de bolos; al que juega menos y se queda
corto para llegar a la raya se le dan cinco tantos (Acad.).

129

	lición; halléla durmiendo,	
	y mientras que despertaba,	
	aquí, señora, aguardaba.	
MADAL.	Dormíme, en fin, y no entiendo	620
	de qué pudo sucederme,	
	que es gran novedad en mí	
	quedarme dormida ansí. (*Levántase.*)	
MIRENO.	Si sueña siempre que duerme	
	vuestra excelencia del modo	625
	que agora, ¡dichoso yo!	
MADAL.	(*Aparte.*) ¡Gracias al cielo que habló	
	este mudo!	
MIRENO.	(*Aparte.*) Tiemblo todo.	
MADAL.	¿Sabéis vos lo que he soñado?	
MIRENO.	Poco es menester saber	630
	para eso.	
MADAL.	Debéis de ser	
	otro Josef. [118]	
MIRENO.	Su traslado	
	en la cortedad he sido,	
	pero no en adivinar.	
MADAL.	Acabad de declarar	635
	cómo el sueño habéis sabido.	
MIRENO.	Durmiendo, vuestra excelencia,	
	por palabras le ha explicado.	
MADAL.	¡Válame Dios!	
MIRENO	Y he sacado	
	en mi favor la sentencia,	640
	que falta ser confirmada,	
	para hacer mi dicha cierta,	
	por vueselencia despierta.	
MADAL.	Yo no me acuerdo de nada.	
	Decídmelo; podrá ser	645
	que me acuerde de algo agora.	
MIRENO.	No me atrevo, gran señora.	
MADAL.	Muy malo debe de ser,	
	pues no me lo osáis decir.	

---

[118] Alusión al José bíblico, adivinador de sueños. Véase Génesis 37: 5-11-39; pero especialmente 40 y 41, donde José interpreta los sueños de Faraón.

MIRENO.	No tiene cosa peor	650
	que haber sido en mi favor.	
MADAL.	Mucho lo deseo oír;	
	acabad ya, por mi vida.	
MIRENO.	Es tan grande el juramento,	
	que anima mi atrevimiento,	655
	Vuestra excelencia dormida...	
	Tengo vergüenza.	
MADAL.	Acabad,	
	que estáis, don Dionís, pesado.	
MIRENO.	Abiertamente ha mostrado	
	que me tiene voluntad.	660
MADAL.	¿Yo? ¿Cómo?	
MIRENO.	Alumbró mis celos,	
	y en sueños me ha prometido...	
MADAL.	¿Sí?	
MIRENO.	Que he de ser preferido	
	al conde de Vasconcelos.	
	Mire si en esta ocasión	665
	son los favores pequeños.	
MADAL.	Don Dionís, ni creáis en sueños,	
	que los sueños, sueños son. [119] (Vase.)	
MIRENO.	¿Agora sales con eso?	
	Cuando sube mi esperanza,	670
	carga el desdén la balanza	
	y se deja en fiel el peso.	
	Con palabras tan resueltas	
	dejas mi dicha mudada;	
	¡qué mala era para espada	675
	voluntad con tantas vueltas!	
	¡Por qué varios arcaduces	
	guía el cielo aqueste amor!	
	Con el desdén y favor	
	me he quedado entre dos luces.	680
	No he de hablar más en mi vida,	
	pues mi desdicha concierta	
	que me desprecie despierta	
	quien me quiere bien dormida.	

---

[119] Frase proverbial muy de la época, que aparece en *La vida es sueño*, de Calderón.

Calle el alma su pasión
y sirva a mejores dueños,
sin dar crédito a más sueños,
que los sueños, sueños son.   685

(*Sale* TARSO.)

TARSO.   Pues, señor, ¿cómo te ha ido?
MIRENO.   ¿Qué sé yo? Ni bien ni mal.   690
Con un compás quedo igual,
amado y aborrecido.
          A mi vergüenza y recato
me vuelvo, que es lo mejor.
TARSO.   Di, pues, que le fue a tu amor   695
          como a tres con un zapato.
MIRENO.   Después me hablarás despacio.
TARSO.   Bato, el pastor y vaquero
de tu padre, está en Avero,
y entrando acaso en palacio   700
          me ha conocido, y desea
hablarte y verte, que está
loco de placer.
MIRENO.   Sí hará.
¡Oh, llaneza de mi aldea!
          ¡Cuánto mejor es tu trato   705
que el de palacio, confuso,
donde el engaño anda al uso!
Vamos, Brito, a hablar a Bato,
          y a mi padre escribiré
de mi fortuna el estado.   710
En un lugar apartado
quiero velle.
TARSO.   Pues ¿por qué?
MIRENO.   Porque tengo, Brito, miedo
que de mi humilde linaje
la noticia aquí me ultraje   715
antes de ver este enredo
          en qué para.
TARSO.   Y es razón.
MIRENO.   Ven, porque le satisfagas.

TARSO.   A ti amor y a mí estas bragas,
         nos han puesto en confusión.   *(Vanse.)*   720

         [*Habitación de* DOÑA SERAFINA.]

         (*Salen* DOÑA SERAFINA *y* DON ANTONIO.)

SERAF.   No sé, conde, si dé a mi padre aviso
         de vuestro atrevimiento y de su agravio,
         que agravio ha sido suyo el atreveros
         a entrar en su servicio dese modo
         para engañarme a mí, y a él afrentalle.   725
         Otros medios halláredes mejores,
         pues noble sois, con que obligar al duque,
         sin fingiros así su secretario,
         pues no sé yo, si no es tenerme en poco,
         qué liviandad hallastes en mi pecho   730
         para atreveros a lo que habéis hecho.

ANTON.   Yo vine de camino a ver mi prima,
         y quiso amor que os viese.

SERAF.   Conde: basta.
         Yo estoy muy agraviada justamente
         de vuestro atrevimiento. ¿Vos creistes,   735
         que en tan poco mi fama y honra tengo,
         que descubriéndoos, como lo habéis hecho,
         había de rendirme a vuestro gusto?
         Imaginarme a mí mujer tan fácil
         ha sido injuria que a mi honor se ha hecho.   740
         Mi padre ha dado al de Estremoz palabra
         que he de ser su mujer, y aunque mi padre
         no la diera, ni yo le obedeciera,
         por castigar aquese desatino
         me casara con él. Salid de Avero   745
         al punto, don Antonio, o daré aviso
         de aquesto a don Duarte, y si lo entiende
         peligraréis, pues corren por su cuenta
         mis agravios.

ANTON.   ¿Que ansí me desconoces? [120]

SERAF.   Idos, conde, de aquí, que daré voces.   750

_____
[120] *desconoces,* 'te muestras ingrato'.

133

ANTON.   Déjame disculpar de los agravios
que me imputas, que el juez más riguroso
antes de sentenciar escucha al reo.

SERAF.   Conde: ¡viven los cielos!, que si un hora
estáis más en la villa, que esta noche   755
me case con el conde por vengarme.
Yo os aborrezco, conde; yo no os quiero.
¿Qué me queréis? Aquí la mayor pena
que me puede afligir es vuestra vista.
Si a vuestro amor mi amor no   760
                    [corresponde:
conde, ¿qué me queréis? Dejadme, conde.

ANTON.   Áspid, que entre las rosas
desa belleza escondes tu veneno,
¿mis quejas amorosas
desprecias deste modo? ¡Ay, Dios, que   765
                    [peno,
sin remediar mis males,
en tormentos de penas infernales!
      Pues que del paraíso
de tu vista destierras mi ventura,
hágate amor Narciso,   770
y de tu misma imagen y hermosura
de suerte te enamores,
que, como lloro, sin remedio llores.
      Yo me voy, pues lo quieres,
huyendo del rigor cruel que encierras,   775
agravio de mujeres;
pues de tu vista hermosa me destierras,
por quedar satisfecho
desterraré tu imagen de mi pecho.
                    (Saca el retrato del pecho.)
      En el mar de tu olvido   780
echará tus memorias la venganza
que a amor y al cielo pido,
pues desta suerte alcanzará bonanza
el mar en que me anego,
si es mar donde las ondas son de fuego.   785
      Borrad, alma, el retrato
que en vos pinta el amor, pues que yo arrojo

aqueste por ingrato;   (Arrójale.)
castigo justo de mi justo enojo,
por quien mi amor desmedra.   790

   Adiós, cruel, retrato de una piedra,
que, pues al tiempo apelo,
médico sabio que locuras cura,
razón es que en el suelo
os deje, pues que sois de piedra dura,   795
si el suelo piedras cría.
Quédate, fuego, ardiendo en nieve fría.
                                        (Vase.)

SERAF.   ¡Hay locuras semejantes!
       ¿Es posible que sujetos
       a tan rabiosos efetos   800
       estén los pobres amantes?
          ¡Dichosa mil veces yo,
       que jamás admití el yugo
       de tan tirano verdugo!
       ¿Qué es lo que en el suelo echó,   805
          y con renombre de ingrato
       tantas injurias le dijo?
       Quiero verle, que colijo
       mil quimeras. ¡Un retrato!   (Álzale.)
          Es de un hombre, y me parece   810
       que me parece de modo
       que es mi semejanza en todo.
       Cuanto el espejo me ofrece
          miro aquí: como en cristal
       bruñido mi imagen propia   815
       aquí la pintura copia,
       y un hombre es su original.
          ¡Válgame el cielo! ¿Quién es,
       pues no es retrato del conde,
       que en nada le corresponde?   820
       Pues ¿por qué le echó a mis pies?
          Decid, amor, ¿es encanto
       éste para que me asombre?
       ¿Es posible que haya hombre
       que se me parezca tanto?   825
          No, porque cuando le hubiera,

¿qué ocasión le ha dado el pobre
para que tal odio cobre
con él el conde? Si fuera
mío, pareciera justo   830
que en él de mí se vengara,
y que al suelo le arrojara
por sólo darme disgusto.

Algún enredo o maraña
se encierra en aqueste enima;   835
doña Juana, que es su prima,
ha de sabello. ¡Qué estraña
confusión! Llamalla quiero,
aunque con ella he reñido
viendo que la causa ha sido   840
que esté su primo en Avero.
mas ella sale.

(*Sale* Doña Juana.)

JUANA.   Ya está,
señora, abierto el jardín;
entre el clavel y el jazmín
vuestra excelencia podrá,   845
    entreteniéndose un rato,
perder la cólera y ira
que tiene conmigo.

SERAF.   Mira,
doña Juana, este retrato.

JUANA.   (*Aparte.*) Éste es el suyo. ¿A qué fin   850
mi primo se le dejó?
¡Cielos, si sabe que yo
le metí dentro el jardín!

SERAF.   ¿Viste semejanza tanta
en tu vida?

JUANA.   No, por cierto.   855
    (*Aparte.*) ¡Si aqueste es el que en el huerto
copió el pintor!

SERAF.   ¿No te espanta?

JUANA.   Mucho.

SERAF.   Tu primo, enojado
porque su amor tuve en poco,

	con disparates de loco	860
	le echó en el suelo, y airado	
	se fue. Quise ver lo que era,	
	y hame causado inquietud	
	pues por la similitud	
	que tiene, saber quisiera	865
	a qué fin aquesto ha sido.	
	Pues de su pecho las llaves	
	tienes, dilo, si lo sabes.	
JUANA.	(*Aparte.*) Basta, que no ha conocido	
	que es suyo; la diferencia	870
	del traje de hombre y color,	
	que mudó en él el pintor,	
	es la causa.—Vueselencia	
	me manda diga una cosa	
	de que estoy tan ignorante	875
	como espantada [121].	
SERAF.	Bastante	
	es ser yo poco dichosa	
	para que lo ignores. Diera	
	cualquier precio de interés	
	por sólo saber quién es.	880
JUANA.	Pues sabedlo...	
SERAF.	¿Cómo?	
JUANA.	Espera;	
	llamando al conde mi primo,	
	y fingiendo algún favor	
	con que entretener su amor...	
SERAF.	La famosa traza estimo;	885
	mas habráse ya partido.	
JUANA.	No habrá; yo le iré a llamar.	
SERAF.	Ve presto.	
JUANA.	(*Aparte.*) ¡Hay más singular	
	suceso! Castigo ha sido	
	del cielo que a su retrato	890
	ame quien a nadie amó. (*Vase.*)	
SERAF.	No en balde en tierra os echó	
	quien con vos ha sido ingrato,	

---

[121] *espantada,* 'asombrada'.

que si es vuestro original
tan bello como está aquí   895
su traslado, creed de mí
que no le quisiera mal.

    Y a fe que hubiera alcanzado
lo que muchos no han podido,
pues vivos no me han vencido,   900
y él me venciera pintado.

    Mas, aunque os haga favor,
no os espante mi mudanza,
que siempre la semejanza
ha sido causa de amor.   905

(*Salen* DON ANTONIO y DOÑA JUANA.)

JUANA.   (*Aparte a* DON ANTONIO.)
        Esto es cierto.
ANTON.   ¡Hay tal enredo!
[JUANA.] Lo que has de responder mira.
ANTON.   Prima: con una mentira
tengo de gozar, si puedo,
    la ocasión.
SERAF.   Conde…
ANTON.   Señora…   910
SERAF.   Muy colérico sois.
ANTON.   Es
condición de portugués,
y no es mucho, si en media hora
me mandáis dejar Avero,
que hiciese estremos de loco.   915
SERAF.   Callad, que sabéis muy poco
de nuestra condición. Quiero
    haceros, conde, saber,
porque os será de importancia,
que son caballos de Francia   920
las iras de una mujer:
    el primer ímpetu, estraño;
pero al segundo se cansa,
que el tiempo todo lo amansa.
ANTON.   (*Aparte.*) Prima: todo esto es engaño.   925
SERAF.   No quiero ya que os partáis.

ANTON.	De aquesta suerte, el desdén
	pasado doy ya por bien.
SERAF.	Pues ya sosegado estáis,
	¿no me diréis la razón	930
	por qué, cuando os apartastes,
	este retrato arrojastes
	en el suelo? ¿Qué ocasión
	os movió a caso tan nuevo?
	¿Cúyo [122] es aqueste retrato?	935
ANTON.	Deciros, señora, trato
	la verdad; mas no me atrevo.
SERAF.	Pues ¿por qué?
ANTON.	Temo un castigo
	terrible.
SERAF.	No hay que temer:
	yo os aseguro.
ANTON.	Perder	940
	la vida por un amigo
	no es mucho. Aquesa presencia
	a declararme me anima.
	(*Aparte.*) Ya va de mentira, prima.
SERAF.	Decid.
ANTON.	Oiga vueselencia:	945
	Días ha que habrá tenido
	entera y larga noticia
	de la historia lastimosa
	del gran duque de Coimbra,
	gobernador deste reino,	950
	en guerra y paz maravilla;
	que por ser con vuestro padre
	de una cepa y sangre misma,
	y tan cercanos en deudo
	como esta corona afirma,	955
	habréis llorado los dos
	la causa de sus desdichas.
SERAF.	Ya sé toda aquesa historia:
	mi padre la contó un día
	a mi hermana en mi presencia;	960

---

[122] *cúyo*, 'de quién'.

su memoria me lastima.
Veinte años dicen que habrá
que le desterró la envidia
de Portugal con su esposa
y un tierno infante. Holgaría   965
de saber si aún vive el duque,
y en que reino o parte habita.

ANTON.   Sola la duquesa es muerta,
porque su memoria viva
que el hijo infeliz y el duque,   970
con quien mi padre tenía
deudo y amistad al tiempo
que de la prisión esquiva
huyó, le ofreció su amparo,
y, arriesgando hacienda y vida,   975
hasta agora le ha tenido
disfrazado en una quinta,
donde, entre toscos sayales,
los dos la tierra cultivan,
que con sus lágrimas riegan,   980
dándoles por fruto espinas.
El hijo, a quien hizo el cielo
con tantas partes [123], que admiran
al mundo, su discreción,
su presencia y gallardía,   985
se crió conmigo, y es
la mitad del alma mía;
que el ñudo de la amistad
hace de dos una vida.
Quiso el cielo que viniese,   990
habrá medio año, a esta villa,
disfrazado de pastor,
y que tu presencia y vista
le robase por los ojos
el alma, cuya homicida,   995
respondiendo el valle en ecos,
pregonan que es Serafina.
Mil veces determinado

---

[123] *partes*, 'cualidades'.

de decirte sus desdichas,
le ha detenido el temor
de ver que el rey le publica
por traidor a él y a su padre
y a quien no diere noticia
de ellos, que a todos alcanza
el rigor de la justicia.
Yo, que como propias siento
las lágrimas infinitas
que por ti sin cesar llora,
le di la palabra un día
de declararte su amor,
y de su presencia y vista
gallarda darte el retrato
que tienes. Llegué, y, sabida
tu condición desdeñosa,
ni inclinada ni rendida
a las coyundas de amor,
de quien tan pocos se libran,
no me atreví abiertamente
a declararte el enigma
de sus amorosas penas,
hasta que la ocasión misma
me la ofreciese de hablarte,
y así alcancé de mi prima
que el duque me recibiese.
Supe después que quería
con el de Estremoz casarte,
y, por probar si podía
estorballo deste modo,
mostré las llamas fingidas
de mi mentiroso amor;
respondísteme con ira,
y yo, para que mirases
el retrato que te inclina
a menos rigor, echéle
a tus pies, que bien sabía
que su belleza pintada
de tu presunción altiva
presto había de triunfar.

1000

1005

1010

1015

1020

1025

1030

1035

En fin, bella Serafina,
el dueño deste retrato
es don Dionís de Coimbra.   1040

SERAF.   Conde: ¿eso es cierto?
ANTON.   Y tan cierto
que, a estallo él y saber
que le amabas, sin temer
el hallarse descubierto,   1045
    pienso que viniera a darte
el alma.

SERAF.   Si eso es verdad,
no sé si en mi voluntad
podrá caber don Duarte [124].
    ¡Válgame Dios! ¡Que éste es hijo   1050
de don Pedro!

ANTON.   Su belleza
dice que sí.

SERAF.   (*Aparte.*)   ¿Qué flaqueza
es la vuestra, alma? Colijo
    que no sois la que solía;
mas justamente merece   1055
quien tanto se me parece
ser amado. ¿No podría
    velle?

ANTON.   De noche bien puedes,
si das a tus penas fin,
y le hablas por el jardín,   1060
que él saltará sus paredes.
    Mas de día no osará,
porque hay ya quien le ha mirado
en Avero con cuidado,
y si más nota en él da,   1065
    ya ves el peligro.

SERAF.   Conde:
un hombre tan principal,
a mi calidad igual,
y que a mi amor corresponde,
    es ingratitud no amalle.   1070

---

[124] *don Duarte,* el conde de Estremoz.

142

En todo has sido discreto:
sélo en guardar más secreto,
y haz cómo yo pueda hablalle;
　　que el alma a dalle comienza
la libertad que contrasta[125].　　　　1075
Y adiós.

ANTON.　　　　¿Vaste?

SERAF.　　　　　　　Aquesto basta;
que habla poco la vergüenza.　　*(Vase.)*

JUANA.　　Primo: ¿es verdad que don Pedro,
el duque, vive y su hijo?

ANTON.　Calla, que el alma lo dijo　　　　1080
viendo lo que en mentir medro.
　　Ni sé del duque, ni dónde
su hijo y mujer llevó.
Don Dionís he de ser yo
de noche, y de día el conde　　　　1085
　　de Penela; y desta suerte,
si amor su ayuda me da,
mi industria me entregará
lo que espero.

JUANA.　　　　Primo: advierte
lo que haces.

ANTON.　　　　Engañada　　　　1090
queda; amor mi dicha ordena
con nombre y ayuda ajena,
pues por mí no valgo nada.　　*(Vanse.)*

[*Habitación de* DOÑA MADALENA.]

(*Salen el* DUQUE *y* DOÑA MADALENA.)

DUQUE.　　Quiero veros dar lición,
que la carta que ayer vi　　　　1095
para el conde, en que leí
de el sobre escrito el renglón,
　　me contentó. Ya escribís
muy claro.

MADAL.　　(*Aparte.*) Y aún no lo entiende,

---

[125] *contrasta,* resiste'.

	con ser tan claro, y se ofende	1100
	mi maestro don Dionís.	

(Sale MIRENO.)

MIRENO.	¿Llámame vuestra excelencia?	
MADAL.	Sí; que el duque, mi señor,	
	quiere ver si algo mejor	
	escribo. Vos esperiencia	
	tenéis de cuán escribana	1105
	soy. ¿No es verdad?	
MIRENO.	Sí, señora.	
MADAL.	Escribí, no ha cuarto de hora,	
	medio dormida una plana [126],	
	tan clara, que la entendiera	
	aun quien no sabe leer.	1110
	¿No me doy bien a entender,	
	don Dionís?	
MIRENO.	Muy bien.	
MADAL.	Pudiera	
	serviros, según fue buena,	
	de materias para hablar	
	en su loor.	1115
MIRENO.	Con callar	
	la alabo: sólo condena	
	mi gusto el postrer renglón,	
	por más que la pluma escuso,	
	porque estaba muy confuso.	
MADAL.	Diréislo por el borrón	1120
	que eché a la postre.	
MIRENO.	¿Pues no?	
MADAL.	Pues adrede lo eché allí.	
MIRENO.	Sólo el borrón corregí,	
	porque lo demás borró.	
MADAL.	Bien le pudiste quitar;	1125
	que un borrón no es mucha mengua.	
MIRENO.	¿Cómo?	
MADAL.	*(Aparte.)* El borrón con la lengua	
	se quita, y no con callar.—	

---

[126] *plana,* letra de un principiante.

Ahora bien: cortá una pluma.   1130

(Sacan recado y corta una pluma.)

MIRENO.	Ya, gran señora, la corto [127].
MADAL.	*(Enojada.)* Acabad, que sois muy corto.
	Vuestra excelencia presuma,
	que de vergüenza no sabe
	hacer cosa de provecho. 1135
DUQUE.	Con todo, estoy satisfecho
	de su letra.
MADAL.	Es cosa grave
	el dalle avisos por puntos,
	sin que aproveche. Acabad.
DUQUE.	Madalena, reportad. 1140
MIRENO.	¿Han de ser cortos los puntos?
MADAL.	¡Qué amigo que sois de corto!
	Largos los pido; cortaldos
	de aqueste modo, o dejaldos.
MIRENO.	Ya, gran señora, los corto. 1145
DUQUE.	¡Qué mal acondicionada
	sois!
MADAL.	Un hombre vergonzoso
	y corto es siempre enfadoso.
MIRENO.	Ya está la pluma cortada.
MADAL.	Mostrad. ¡Y qué mala! ¡Ay, Dios! 1150
	(Pruébala y arrójala.)
DUQUE.	¿Por qué la echáis en el suelo?
MADAL.	¡Siempre me la dais con pelo!
	Líbreme el cielo de vos.
	Quitalde con el cuchillo.
	No sé de vos que presuma, 1155
	siempre con pelo la pluma,
	(Aparte.) y la lengua con frenillo.
MIRENO.	*(Aparte.)* Propicios me son los cielos,
	todo esto es en mi favor.

(Sale DON DUARTE.*)*

CONDE.	Dadme albricias, gran señor: 1160

---

[127] Nótese el juego de palabras de punto y corto.

	el conde de Vasconcelos	
	está sola una jornada	
	de vuestra villa.	
MADAL.	(*Aparte.*) ¡Ay de mí!	
CONDE.	Mañana llegará aquí;	
	porque trae tan limitada,	1165
	dicen, del rey la licencia,	
	que no hará más de casarse	
	mañana, y luego tornarse.	
	Apreste vuestra excelencia	
	lo necesario, que yo	1170
	voy a recibirle luego.	
DUQUE.	¿No me escribe?	
CONDE.	Aqueste pliego.	
DUQUE.	Hija: la ocasión llegó	
	que deseo.	
MADAL.	(*Aparte.*) Saldrá vana.	
MIRENO.	(*Aparte.*) ¡Ay, cielo!	
MADAL.	(*Aparte.*) Mi bien suspira.	1175
DUQUE.	Vamos: deja aqueso y mira	
	que te has de casar mañana.	

(*Vanse, el* DUQUE *y el* CONDE *y pónese a escribir ella.*)

MADAL.	Don Dionís: en acabando	
	de escribir aquí, leed	
	este billete, y haced	1180
	luego lo que en él os mando.	
MIRENO.	Si ya la ocasión perdí,	
	¿qué he de hacer? ¡Ay, suerte dura!	
MADAL.	Amor todo es coyuntura. (*Vase.*)	
MIRENO.	Fuése. El papel dice ansí:	1185
	(*Lee.*) «No da el tiempo más espacio	
	esta noche, en el jardín,	
	tendrán los temores fin	
	del vergonzoso en palacio.»	
	¡Cielos! ¿Qué escucho? ¿Qué veo?	1190
	¿Esta noche? ¡Hay más ventura!	
	¿Si lo sueño? ¿Si es locura?	
	No es posible; no lo creo. (*Vuelve a leer*).	

146

«Esta noche en el jardín...»
¡Vive Dios, que está aquí escrito!   1195
¡Mi bien! A buscar a Brito
voy. ¿Hay más dichoso fin?

Presto en tu florido espacio
dará envidia entre mis celos,
al conde de Vasconcelos,   1200
el vergonzoso en palacio.

(*Salen* LAURO, RUY LORENZO y BATO y MELISA.)

LAURO.   Buenas nuevas te dé Dios:
            escoge en albricias, Bato,
            la oveja mejor del hato;
            poco es una, escoge dos.   1205

            ¿Que mi hijo está en Avero?
            ¿Que del duque es secretario,
            mi primo? ¡Ay tiempo voltario!
            Mas ¿qué me quejo? ¿Qué espero?

            Vamos a verle los dos: 1210
            mis ojos su vista gocen.
            Venid.

RUY.   ¿Y si me conocen?

LAURO.   No lo permitirá Dios:
            tiznaos como carbonero
            la cara, que desta vez   1215
            daré a mi triste vejez
            un buen día hoy en Avero.

            Mi gozo crece por puntos:
            agora a vivir comienzo.
            Alto: vamos, Ruy Lorenzo.   1220

BATO.   Todos podremos ir juntos.

LAURO.   Guardad vosotros la casa.   (*Vanse los dos.*)

MELISA.   Sí; Bercebú que la guarde.

BATO.   ¿Qué tenéis aquesta tarde?

MELISA.   ¡Ay, Bato! ¡Que aqueso pasa!   1225
            ¿Que no preguntó por mí
            Tarso?

BATO.   No se le da un pito
            por vos, ni es Tarso.

MELISA.   ¿Pues?

BATO.	Brito,
	o cabrito.
MELISA.	¡Ay! ¿Tarso ansí?
	A verte he de ir esta tarde, 1230
	cruel, tirano, enemigo.
BATO.	¿Sola?
MELISA.	Vasco irá conmigo.
BATO.	Buen mastín lleváis que os guarde.
	¿Queréisle mucho?
MELISA.	Enfinito.
BATO.	Pues en Brito se ha mudado, 1235
	la mitad para casado
	tien...
MELISA.	¿Qué?
BATO.	De cabrito el Brito [128]. (Vanse.)

[*Palacio del duque con jardín. Es de noche.*]

(*A la ventana* DOÑA JUANA *y* DOÑA SERAFINA.)

SERAF.	¡Ay, querida doña Juana!
	nota de mi fama doy;
	mas si lo dilato hoy 1240
	me casa el duque mañana.
JUANA.	Don Dionís, señora, es tal
	que no llega don Duarte
	con la más mínima parte
	a su valor Portugal. 1245
	Por su parte llora hoy día;
	para en uno sois los dos: [129]
	gozaos mil años.
SERAF.	¡Ay Dios!
JUANA.	No temas, señora mía,
	que mi primo fue por él; 1250
	presto le traerá consigo.
SERAF.	Él tiene un notable amigo.
JUANA.	Pocos se hallarán como él.

(*Sale* DON ANTONIO, *como de noche.*)

---

[128] Chiste (*cabrito* equivale a cornudo).
[129] Frase hecha que decía a los recién casados (A. C.).

ANTON.	Hoy, amor, vuestras quimeras	
	de noche me han convertido	1255
	en un don Dionís fingido	
	y un don Antonio de veras.	
	Por y otro [130] he de hablar.	
	Gente siento a la ventana.	
JUANA.	Ruido suena; no fue vana	1260
	mi esperanza.	

(TARSO, *de noche.*)

TARSO.	Este lugar	
	mi dichoso don Dionís	
	me manda que mire y ronde	
	por si hay gente.	
JUANA.	Ce: ¿es el conde?	
ANTON.	Sí, mi señora.	
JUANA.	¿Venís	1265
	con don Dionís?	
TARSO.	(*Aparte.*) ¿Cómo es esto?	
	¿Don Dionís? La burla es buena.	
	¿Mas si es doña Madalena?	
	Reconocer este puesto	
	me manda, porque le avise	1270
	si anda gente (y me parece	
	que otro en su lugar se ofrece),	
	y que le ronde, ande y pise.	
	¡Vaya! ¿Mas que es don Dionís?	
	Eso no.	
ANTON.	Conmigo viene	1275
	un don Dionís, que os previene	
	el alma, que ya adquirís,	
	para ofrecerse a esas plantas.	
	Hablad, don Dionís: ¿qué hacéis?	
	(*Finge que habla* DON DIONÍS, *mudando la voz.*)	
	¿Que estoy suspenso, no veis,	1280
	contemplando glorias tantas?	
	Pagar lo mucho que os debo	

---

[130] *Por y otro,* debe de ser «por uno y otro».

	con palabras será mengua,
	y ansí refreno la lengua,
	porque en ella no me atrevo. 1285
	Mas, señora, amor es dios,
	y por mí podrá pagar.
JUANA.	(Aparte.) ¡Bien sabe disimular
	el habla!
SERAF.	¿No tenéis vos
	crédito para pagarme 1290
	esta deuda?
ANTON.	No lo sé;
	mas buen fiador os daré:
	el conde puede fiarme.—
	Yo os fío.
TARSO.	(Aparte.) ¡Válgate el diablo!
	Sólo un hombre es, vive Dios, 1295
	y parece que son dos.
ANTON.	(Disimula la voz.)
	Con mucho peligro os hablo
	aquí; haced mi dicha cierta,
	y tengan mis penas fin.
SERAF.	Pues ¿qué queréis?
ANTON.	Del jardín 1300
	tengo ya franca la puerta.
JUANA.	Mira que suele rondarte
	don Duarte, señora mía,
	y que si aguardas al día
	has de ser de don Duarte. 1305
	Cualquier dilación es mala.
SERAF.	¡Ay Dios!
JUANA.	¡Qué tímida eres!
	¿Entrará?
SERAF.	Haz lo que quisieres.
ANTON.	(Como DON ANTONIO.)
	Don Dionís, amor te iguala
	a la ventura mayor 1310
	que pudo dar; corresponde
	a tu dicha.—Amigo conde:
	(Como DON DIONÍS.)
	por vuestra industria y favor

	he adquirido tanto bien;	1315
	dadme esos brazos; yo soy	
	tu amigo, conde, desde hoy.—	
	Yo vuestro esclavo.—Está bien;	
	dará el tiempo testimonio	
	desta deuda.—Aquí te aguardo,	
	que así mis amigos guardo;	1320
	entrad.—Adiós, don Antonio.	*(Éntrase.)*
SERAF.	¿Entró?	
JUANA.	Sí.	
SERAF.	¡Qué deste modo	
	fuerce amor a una mujer!	
	Mas por sólo no lo ser	
	del de Estremoz, poco es todo;	1325
	mi padre y honor perdone.	
JUANA.	Vamos y deja ese miedo.	
	(Vanse las dos.)	
TARSO.	¿Hase visto igual enredo?	
	En gran confusión me pone	
	este encanto. Un don Antonio,	1330
	que consigo mismo hablaba,	
	dijo que aquí se quedaba,	
	y se entró; él es demonio.	

(MIRENO, *de noche*.)

MIRENO.	Él se debió de quedar,	
	como acostumbra, dormido.	1335
TARSO.	Ya queda sostituido	
	por otro aquí tu lugar.	
MIRENO.	¿Qué dices, necio? Responde:	
	vienes aquí a ver si hay gente,	
	¡y estaste aquí, impertinente!	1340
TARSO.	Gente ha habido.	
MIRENO.	¿Quién?	
TARSO.	Un conde,	
	y un don Dionís de tu nombre,	
	que es uno y parecen dos.	
MIRENO.	¿Estás sin seso?	
TARSO.	Por Dios,	
	que acaba de entrar un hombre	1345

con tu doña Madalena
que, o es colegial trilingue [131],
o a sí propio se distingue,
o es tu alma que anda en pena.
    Más sabe que veinte Ulises.   1350
Algún traidor te ha burlado,
o yo este enredo he soñado,
o aquí hay dos don Dionises.

MIRENO.   Soñástelo.
TARSO.   ¡Norabuena!

(*Sale a la ventana* DOÑA MADALENA.)

MADAL.   ¿Si habrá don Dionís venido?   1355
TARSO.   A la ventana ha salido
un bulto.
MADAL.   ¡Ay Dios! Gente suena.
  ¿Ce: es don Dionís?
MIRENO.   Mi señora,
yo soy ese venturoso.
MADAL.   Entrad, pues, mi vergonzoso. (*Vase.*) 1360
MIRENO. ¿Crees que lo soñaste agora?
TARSO.   No sé.
MIRENO.   Si mi cortedad
fue vergüenza, adiós, vergüenza;
que seréis, como no os venza,
desde agora necedad.   (*Vase.*) 1365
TARSO.   Confuso me voy de aquí,
que debo estar encantado.
Dos Dionises han entrado,
o yo estoy fuera de mí.
    Destas calzas por momentos   1370
salen quimeras como ésta;
¡pobre de quien trae acuestas
dos cestas de encantamentos! [132]   (*Vase.*)

[*Atrio del patio.*]

(*Salen* LAURO y RUY LORENZO, *de pastores.*)

---

[131] Colegio trilingüe de la Universidad de Salamanca.
[132] Las calzas eran abultadas como cestas (F. A.)

152

LAURO.	Este es, Ruy Lorenzo, Avero.
RUY.	Aquí me vi un tiempo, Lauro, 1375 rico y próspero, y ya pobre y ganadero.
LAURO.	Altibajos son del tiempo y la fortuna, inconstante siempre y vario. ¡Buen palacio tiene el duque! 1380
RUY.	Ahora acaba de labrallo: propiedad de la vejez, hacellos y no gozallos.
LAURO.	Busquemos a mi Mireno.
RUY.	En palacio aún es temprano; 1385 que aquí amanece muy tarde, y hemos mucho madrugado.
LAURO.	¿Cuándo durmió el deseoso? ¿Cuándo amor buscó descanso? No os espante que madrugue, 1390 que soy padre, deseo y amo.

(Salen VASCO *y* MELISA, *de pastores.)*

VASCO.	Mucho has podido conmigo, Melisa.
MELISA.	Débote, Vasco, gran voluntad.
VASCO.	¿A qué efeto me traes, Melisa, a palacio 1395 desde los montes incultos?
MELISA.	En ellos sabrás de espacio mis intentos.
VASCO.	Miedo tengo.
MELISA.	*(Aparte.)* ¡Ay Tarso, cruel, ingrato! Mi imán eres, tras ti voy, 1400 que soy hierro.
VASCO.	Aun sería el diablo, que ahora me conociese algún mozo de caballos, colgándome de la horca, en fe de ser peso falso. 1405
MELISA.	¡Ay Vasco, retírate!

VASCO.	¿Pues qué...?
MELISA.	¿No ves a nuesamo [133],
	y al tuyo? Si aquí nos topa,
	pendencia hay para dos años.

(Tocan cajas.)

VASCO.	Volvámonos. Mas ¿qué es esto?	1410
RUY.	¿Tan de mañana han tocado	
	cajas? ¿A qué fin será?	
LAURO.	No lo sé.	
RUY.	Si no me engaño,	
	sale el duque; algo hay de nuevo.	
LAURO.	A esta parte retirados	1415
	podremos saber lo que es,	
	que parece que echan bando.	

(*Salen el* DUQUE, *el* CONDE, *con gente y un* ATAMBOR.)

DUQUE.	Conde: con ningunas nuevas	
	pudiera alegrarme tanto	
	como con éstas: ya cesan	1420
	las desdichas y trabajos	
	de don Pedro de Coimbra,	
	mi primo, si el cielo santo	
	le tiene vivo.	
CONDE.	Sí hará;	
	que al cabo de tantos años	1425
	de males querrá que goce	
	el premio de su descanso.	
LAURO.	¡Qué es esto que escucho, cielos!	
	¿Soy yo de quien habla acaso	
	mi primo el duque de Avero?	1430
	Mas, no, que soy desdichado.	
DUQUE.	Antes que vais [134], don Duarte,	
	por el yerno, que hoy aguardo,	
	quiero que oigáis el pregón	
	que el rey manda.—Echad el bando.	1435
ATAMB.	«¡El rey nuestro señor Afonso el Quinto	
	manda: que en todos sus estados reales,	

---

[133] *nuesamo,* 'nuestro amo'.
[134] *vais,* 'vayáis'.

con solenes y públicos pregones,
se publique el castigo que en Lisboa
se hizo del traidor Vasco Fernández,   1440
por las traiciones que a su tío el duque
don Pedro de Coimbra ha levantado,
a quien da por leal vasallo y noble,
y en todos sus estados restituye;
mandando, que en cualquier parte que
                              [asista [135], 1445
si es vivo, le respeten como a él mismo;
y si es muerto, su imagen echa al vivo
pongan sobre un caballo, y una palma
en la mano, le lleven a su corte,
saliendo a recebirle los lugares: 1450
y declara a los hijos que tuviere
por herederos de su patrimonio,
dando a Vasco Fernández y a sus hijos
por traidores, sembrándoles sus casas
de sal, como es costumbre en estos   1455
                                 [reinos
desde el antiguo tiempo de los godos.
Mándase pregonar porque venga
a noticia de todos.»

VASCO.   ¡Larga arenga!

MELISA.   ¡Buen garguero
tiene el que ha repiqueteado!   1460

LAURO.   Gracias a vuestra piedad,
recto juez, clemente y sabio,
que volvéis por mi justicia.

RUY.   El parabién quiero daros
con las lágrimas que vierto.   1465
Goceisle, duque, mil años.

DUQUE.   ¿Qué labradores son estos
que hacen estremos tantos?

CONDE.   ¡Ah, buena gente! Mirad
que os llama el duque.

LAURO.   Trabajos: 1470
si me habéis tenido mudo,

---

[135] *asista,* 'resida'.

	ya es tiempo de hablar. ¿Qué aguardo?	
	Dadme aquesos brazos nobles,	
	duque ilustre, primo caro:	
	don Pedro soy.	
DUQUE.	¡Santos cielos,	1475
	dos mil gracias quiero daros!	
CONDE.	¡Gran duque! ¿En aqueste traje?	
LAURO.	En este me he conservado	
	con vida y honra hasta agora.	
MELISA.	¡Aho! [136] ¿diz que es duque nueso amo?	1480
VASCO.	Sí.	
MELISA.	Démosle el parabién.	
VASCO.	¿No le ves que está ocupado?	
	Tiempo habrá; déjalo agora,	
	no nos riñan.	
MELISA.	Pues dejallo.	
DUQUE.	Es el conde de Estremoz,	1485
	a quien la palabra he dado	
	de casalle con mi hija	
	la menor, y agora aguardo	
	al conde de Vasconcelos,	
	sobrino vuestro.	
LAURO.	Mi hermano	1490
	estará ya arrepentido,	
	si traidores le engañaron.	
DUQUE.	Doile a doña Madalena,	
	mi hija mayor.	
LAURO.	Sois sabio	
	en escoger tales yernos.	1495
DUQUE.	Y venturoso otro tanto	
	en que seréis su padrino.	
RUY.	(Aparte.) Aunque el conde me ha mirado,	
	no me ha conocido. ¡Ay cielos!	
	¿Quién vengará mis agravios?	1500
DUQUE.	Hola, llamad a mis hijas,	
	que de suceso tan raro,	
	por la parte que les toca,	
	es bien darlas cuenta.	

---

[136] aho, exclamación rústica. diz, 'se dice'.

MELISA.   Vasco: 1505
       verdad es, ven y lleguemos.
       Por muchos y buenos años
       goce el duquencio [137].

LAURO.   ¿Melisa
       aquí?

MELISA.   Vine a ver a Tarso.

VASCO.   No oso hablar, no me conozcan,
       que está mi vida en mis labios.   1510

(*Salen* MADALENA, SERAFINA *y* DOÑA JUANA.)

MADAL.   ¿Qué manda vuestra excelencia?

DUQUE.   Que beséis, hija, las manos
       al gran duque de Coimbra,
       vuestro tío.

MADAL.   ¡Caso raro!

LAURO.   Lloro de contento y gozo.   1515

SERAF.   (*Aparte.*) Mi suerte y ventura alabo:
       ya segura gozaré
       mi don Dionís, pues ha dado
       fin el cielo a sus desdichas.

LAURO.   Gocéis, sobrinas, mil años   1520
       los esposos que os esperan.

SERAF.   El cielo guarde otros tantos
       la vida de vueselencia.

MADAL.   Si la mía estima en algo,
       le suplico, así propicios   1525
       de aquí adelante los hados
       le dejen ver reyes nietos
       y venguen de sus contrarios,
       que este casamiento impida.

DUQUE.   ¿Cómo es eso?

MADAL.   Aunque el recato   1530
       de la mujeril vergüenza
       cerrarme intente los labios
       digo, señor, que ya estoy
       casada.

DUQUE.   ¡Cómo! ¿Qué aguardo?

---

[137] *duquencio,* forma rústica y cómica por «ducado».

	¿Estáis sin seso, atrevida?	1535
MADAL.	El cielo y amor me han dado	
	esposo, aunque humilde y pobre,	
	discreto, mozo y gallardo.	
DUQUE.	¿Qué dices, loca? ¿Pretendes	
	que te mate?	
MADAL.	El secretario	1540
	que me diste por maestro	
	es mi esposo.	
DUQUE.	Cierra el labio.	
	¡Ay desdichada vejez!	
	Vil: ¿por un hombre tan bajo	
	al conde de Vasconcelos	1545
	desprecias?	
MADAL.	Ya le ha igualado	
	a mi calidad amor,	
	que sabe humillar los altos	
	y ensalzar a los humildes.	
DUQUE.	Daréte la muerte.	
LAURO.	Paso,	1550
	que es mi hijo vuestro yerno.	
DUQUE.	¿Cómo es eso?	
LAURO.	El secretario	
	de mi sobrina, vuestra hija,	
	es Mireno, a quien ya llamo	
	don Dionís y mi heredero.	1555
DUQUE.	Ya vuelvo en mí: por bien dado	
	doy mi agravio dese modo.	
MADAL.	¿Hijo es vuestro? ¡Ay Dios! ¿Qué aguardo	
	que no beso vuestros pies?	
SERAF.	Eso no, porque es engaño:	1560
	don Dionís, hijo del duque	
	de Coimbra, es quien me ha dado	
	mano y palabra de esposo.	
DUQUE.	¿Hay hombre más desdichado?	
SERAF.	Doña Juana es buen testigo.	1565
MADAL.	Don Dionís está en mi cuarto	
	y mi recámara.	
SERAF.	¡Bueno!	
	En la mía está encerrado.	

LAURO.	Yo no tengo más de un hijo.
DUQUE.	Tráiganlos luego. ¡En qué caos 1570
	de confusión estoy puesto!
MELISA.	¿En qué parará esto, Vasco?
VASCO.	No sé lo que te responda;
	pues ni sé si estoy soñando
	ni si es verdad lo que veo. 1575
MELISA.	¡Ay Dios! ¡Si saliese Tarso!

(Sale MIRENO.*)*

MIRENO.	Confuso vengo a tus pies.
LAURO.	Hijo mío: aquesos brazos
	den nueva vida a estas canas.
	Éste es don Dionís.
SERAF.	¿Qué engaños 1580
	son estos, cielos crueles?
DUQUE.	Abrazadme, ya que ha hallado
	el más gallardo heredero
	de Portugal este estado.
LAURO.	¿Qué miras, hijo, perplejo? 1585
	El nombre tosco ha cesado
	que de Mireno tuviste;
	ni lo eres, ni soy Lauro,
	sino el duque de Coimbra:
	el rey está ya informado 1590
	de mi inocencia.
MIRENO.	¿Qué escucho?
	¡Cielos! ¡amor! ¡bienes tantos!

(Sale DON ANTONIO.*)*

ANTON.	Dame, señor, esos pies.
DUQUE.	¿A qué venís, secretario?
SERAF.	Conde: ¿qué es de don Dionís, 1595
	mi esposo?
ANTON.	Yo os he engañado:
	en su nombre gocé anoche
	la belleza y bien más alto
	que tiene el amor.
DUQUE.	¡Oh, infame!

SERAF.	¡Matadle!
CONDE.	¡Matadle!
JUANA.	Paso, 1600
	que es el conde de Penela,
	mi primo.
ANTON.	Perdón aguardo,
	duque y señor, a tus pies.
CONDE.	Los cielos lo han ordenado,
	porque vuelven por Leonela, 1605
	a quien di palabra y mano
	de esposo, y la desprecié
	gozada.
LAURO.	Aquí está su hermano,
	que por vengar esa injuria,
	aunque no con medio sabio, 1610
	vive pastor abatido.
	Si a interceder por él basto,
	reducidle a vuestra gracia.
RUY.	Perdón pido.
VASCO.	Y también Vasco.
DUQUE.	Basta, que lo manda el duque. 1615
CONDE.	Recibidme por cuñado,
	que a Leonela he de cumplir
	la palabra que le he dado
	luego que a mi estado vuelva.
	¿Dónde está?
RUY.	Tu pecho hidalgo 1620
	hace, al fin, como quien es.
SERAF.	Y qué, ¿fue mío el retrato?
DUQUE.	Dadle, conde don Antonio,
	a Serafina la mano,
	que, pues el de Vasconcelos 1625
	perdió la ocasión por tardo,
	disculpado estoy con él.
	(A MIRENO.) ¡Muy bien habéis enseñado
	a escribir a Madalena!
	¿Érades vos el callado, 1630
	el cortés, el vergonzoso?
	Pero ¿quién lo fue en palacio?

Tarso.	¿Duque Mireno? ¿Qué escucho?	
	Don Dionís: esos zapatos	
	te beso, y pido en albricias	1635
	de la esposa y del ducado	
	que me quites estas calzas	
	y el día del Jueves Santo	
	mandes ponellas a un Judas.	
Melisa.	¡Ah traidor, mudable, ingrato!	1640
	Agora me pagarás	
	el amor, penas y llanto	
	que me debes. Señor duque	
	de rodillas se lo mando [138]	
	que mos case.	
Tarso.	Estotro ¿es cura?	1645
Melisa.	Mande que me quiera Tarso.	
Mireno.	Yo se lo mando, y le doy	
	por ello tres mil cruzados.	
Tarso.	¿Por la cara o por la bolsa?	
Mireno.	Y mi camarero le hago,	1650
	para que asista conmigo.	
Duque.	Doña Juana está a mi cargo;	
	yo la daré un noble esposo.	
	A recebir todos vamos	
	al conde de Vasconcelos,	1655
	porque, viendo el desengaño	
	de su amor, sepa la historia	
	del *Vergonzoso en Palacio*	
	y, a pesar de maldicientes,	
	las faltas perdone el sabio.	1660

FIN DE LA COMEDIA
DE «EL VERGONZOSO EN PALACIO»

---

[138] *mando,* 'pido'.

Colección Letras Hispánicas

ÚLTIMOS TÍTULOS PUBLICADOS

415 *El príncipe constante*, PEDRO CALDERÓN DE LA BARCA.
Edición de Fernando Cantalapiedra.
416 *Antología poética*, RAMÓN DE CAMPOAMOR.
Edición de Víctor Montolí (2.ª ed.).
417 *El perro del hortelano*, LOPE DE VEGA.
Edición de Mauro Armiño (6.ª ed.).
418 *Mancuello y la perdiz*, CARLOS VILLAGRA MARSAL.
Edición de José Vicente Peiró.
419 *Los perros hambrientos*, CIRO ALEGRÍA.
Edición de Carlos Villanes.
420 *Muertes de perro*, FRANCISCO AYALA.
Edición de Nelson R. Orringer.
421 *El Periquillo Sarniento*, JOSÉ JOAQUÍN FERNÁNDEZ DE LIZARDI.
Edición de Carmen Ruiz Barrionuevo.
422 *Diario de "Metropolitano"*, CARLOS BARRAL.
Edición de Luis García Montero.
423 *El Señor Presidente*, MIGUEL ÁNGEL ASTURIAS.
Edición de Alejandro Lanoël-d'Aussenac (2.ª ed.).
424 *Barranca abajo*, FLORENCIO SÁNCHEZ.
Edición de Rita Gnutzmann.
425 *Los pazos de Ulloa*, EMILIA PARDO BAZÁN.
Edición de Mª de los Ángeles Ayala (3.ª ed.).
426 *Doña Bárbara*, RÓMULO GALLEGOS.
Edición de Domingo Miliani (2.ª ed.).
427 *Los trabajos de Persiles y Sigismunda*, MIGUEL DE CERVANTES.
Edición de Carlos Romero (2.ª ed.).
428 *¡Esta noche, gran velada! Castillos en el aire*, FERMÍN CABAL.
Edición de Antonio José Domínguez.
429 *El labrador de más aire*, MIGUEL HERNÁNDEZ.
Edición de Mariano de Paco y Francisco Javier Díez
de Revenga.
430 *Cuentos*, RUBÉN DARÍO.
Edición de José María Martínez.
431 *Fábulas*, FÉLIX M. SAMANIEGO.
Edición de Alfonso Sotelo (2.ª ed.).

432 *Gramática parda*, JUAN GARCÍA HORTELANO.
    Edición de Milagros Sánchez Arnosi.
433 *El mercurio*, JOSÉ MARÍA GUELBENZU.
    Edición de Ana Rodríguez Fischer.
434 *Tragicomedia de don Cristóbal y la señá Rosita*, FEDERICO
    GARCÍA LORCA.
    Edición de Annabella Cardinali y Christian De Paepe.
435 *Entre naranjos*, VICENTE BLASCO IBÁÑEZ.
    Edición de José Mas y Mª. Teresa Mateu.
436 *Antología poética*, CONDE DE NOROÑA.
    Edición de Santiago Fortuño Llorens.
437 *Sab*, GERTRUDIS GÓMEZ DE AVELLANEDA.
    Edición de José Servera (2.ª ed.).
438 *La voluntad*, JOSÉ MARTÍNEZ RUIZ.
    Edición de María Martínez del Portal.
439 *Diario de un poeta reciencasado (1916)*, JUAN RAMÓN JIMÉNEZ.
    Edición de Michael P. Predmore (3.ª ed.).
440 *La barraca*, VICENTE BLASCO IBÁÑEZ.
    Edición de José Mas y Mª. Teresa Mateu (2.ª ed.).
441 *Eusebio*, PEDRO MONTENGÓN.
    Edición de Fernando García Lara.
442 *El ombligo del mundo*, RAMÓN PÉREZ DE AYALA.
    Edición de Ángeles Prado.
443 *Arte de ingenio, Tratado de la Agudeza*, BALTASAR GRACIÁN.
    Edición de Emilio Blanco.
444 *Dibujo de la muerte. Obra poética*, GUILLERMO CARNERO.
    Edición de Ignacio Javier López
445 *Cumandá*, JUAN LEÓN MERA.
    Edición de Ángel Esteban.
446 *Blanco Spirituals. Las rubáiyátas de Horacio Martín*, FÉLIX
    GRANDE.
    Edición de Manuel Rico.
447 *Las lenguas de diamante. Raíz salvaje*, JUANA DE IBARBOUROU.
    Edición de Jorge Rodríguez Padrón.
448 *Proverbios morales*, SEM TOB DE CARRIÓN.
    Edición de Paloma Díaz-Mas y Carlos Mota.
449 *La gaviota*, FERNÁN CABALLERO.
    Edición de Demetrio Estébanez.
450 *Poesías completas*, FERNANDO VILLALÓN.
    Edición de Jacques Issorel.
452 *El préstamo de la difunta*, VICENTE BLASCO IBÁÑEZ.
    Edición de José Mas y Mª. Teresa Mateu.

453 *Obra completa*, JUAN BOSCÁN.
    Edición de Carlos Clavería.
454 *Poesía*, JOSÉ AGUSTÍN GOYTISOLO.
    Edición de Carme Riera (4.ª ed.).
455 *Empresas políticas*, DIEGO SAAVEDRA FAJARDO.
    Edición de Sagrario López.
456 *Generaciones y semblanzas*, FERNÁN PÉREZ DE GUZMÁN.
    Edición de José Antonio Barrio Sánchez.
457 *Los heraldos negros*, CÉSAR VALLEJO.
    Edición de René de Costa.
458 *Diálogo de Mercurio y Carón*, ALFONSO VALDÉS.
    Edición de Rosa Navarro.
459 *La bodega*, VICENTE BLASCO IBÁÑEZ.
    Edición de Francisco Caudet.
460 *Amalia*, JOSÉ MÁRMOL.
    Edición de Teodosio Fernández.
462 *La madre naturaleza*, EMILIA PARDO BAZÁN.
    Edición de Ignacio Javier López.
463 *Retornos de lo vivo lejano. Ora marítima*, RAFAEL ALBERTI.
    Edición de Gregorio Torres Nebrera.
464 *Paz en la guerra*, MIGUEL DE UNAMUNO.
    Edición de Francisco Caudet.
465 *El maleficio de la mariposa*, FEDERICO GARCÍA LORCA.
    Edición de Piero Menarini.
466 *Cuentos*, JULIO RAMÓN RIBEYRO.
    Edición de Mª. Teresa Pérez Rodríguez.
470 *Mare nostrum*, VICENTE BLASCO IBÁÑEZ.
    Edición de Mª. José Navarro Mateo.
471 *Correo del otro mundo. Sacudimiento de mentecatos*, DIEGO DE
    TORRES VILLARROEL.
    Edición de Manuel María Pérez López.
472 *Días y sueños (Obra poética reunida, 1939-1992)*, EUGENIO DE NORA.
    Edición de Santos Alonso.
473 *Un Río, un Amor. Los Placeres Phohibidos*, LUIS CERNUDA.
    Edición de Derek Harris.
474 *Ariel*, JOSÉ ENRIQUE RODÓ.
    Edición de Belén Castro Morales.
475 *Poesía lírica*, MARQUÉS DE SANTILLANA.
    Edición de Miguel Ángel Pérez Priego.
476 *Miau*, BENITO PÉREZ GALDÓS.
    Edición de Francisco Javier Díez de Revenga (2.ª ed.).

477 *Los ídolos*, MANUEL MUJICA LAINEZ.
   Edición de Leonor Fleming.
478 *Cuentos de verdad*, MEDARDO FRAILE.
   Edición de María del Pilar Palomo.
479 *El lugar sin límites*, JOSÉ DONOSO.
   Edición de Selena Millares.
481 *Farabeuf o la crónica de un instante*, SALVADOR ELIZONDO.
   Edición de Eduardo Becerra.
482 *Novelas amorosas y ejemplares*, MARÍA DE ZAYAS
   SOTOMAYOR.
   Edición de Julián Olivares.
483 *Crónicas de Indias*.
   Edición de Mercedes Serna.
484 *La voluntad de vivir*, VICENTE BLASCO IBÁÑEZ.
   Edición de Facundo Tomás.
486 *La vida exagerada de Martín Romaña*, ALFREDO BRYCE
   ECHENIQUE.
   Edición de Julio Ortega y María Fernanda Lander.
488 *Sin rumbo*, EUGENIO CAMBACERES.
   Edición de Claude Cymerman.
489 *La devoción de la cruz*, PEDRO CALDERÓN DE LA BARCA.
   Edición de Manuel Delgado.
490 *Juego de noches. Nueve obras en un acto*, PALOMA PEDRERO.
   Edición de Virtudes Serrano.
493 *Todo verdor perecerá*, EDUARDO MALLEA.
   Edición de Flora Guzmán.
495 *La realidad invisible*, JUAN RAMÓN JIMÉNEZ.
   Edición de Diego Martínez Torrón.
496 *La maja desnuda*, VICENTE BLASCO IBÁÑEZ.
   Edición de Facundo Tomás.
497 *La guaracha del Macho Camacho*, LUIS RAFAEL SÁNCHEZ.
   Edición de Arcadio Díaz Quiñones.
498 *Jardín cerrado*, EMILIO PRADOS.
   Edición de Juan Manuel Díaz de Guereñu.
499 *Flor de mayo*, VICENTE BLASCO IBÁÑEZ.
   Edición de José Más y María Teresa Mateu.
500 *Antología Cátedra de Poesía de las Letras Hispánicas*.
   Selección e introducción de José Francisco Ruiz Casanova
   (2.ª ed.).
501 *Los convidados de piedra*, JORGE EDWARDS.
   Edición de Eva Valcárcel.